文春文庫

ずいぶんなおねだり

東海林さだお

文藝春秋

ずいぶんなおねだり　目次

夏休み昆虫観察日記　9
夏休み昆虫観察日記 Ⅱ　26
B級の鉄人との対話　42
五月の病い　57
グルメ姫ライター大いに語る　72
ゲイバーの中のおばさんたち　87
なんとなくクラシテル　102
プロ野球消化試合の実態　117

江川紹子かく語りき 133
ハトヤ大研究 149
携帯電話は悪者か 165
草井是好氏のクサイ話 181
イチャモン 202
コンビニ日記 218
悪口とツーハンはやめられない
――ナンシー関さんと語る 233
解説 いとうせいこう 247

ずいぶんなおねだり

夏休み昆虫観察日記

■アリ

多くの昆虫は住所不定だ。

セミもトンボもカブト虫も、トノサマバッタもカミキリ虫も、特に決まった住所はない。

だがアリには住所がある。

ところ番地だってはっきりしている。

郵便番号だって、言えと言われれば言うことができる。

しかも土地付きである。

クモやハチなども、決まった住所があることはあるが、空中にあるせいか〝住所〟という印象が薄い。

アリは昆虫でありながら土地付き住宅に住んでいるのだ。

それもこれも、他の昆虫が遊んでいるときに、休みなく働いてきたせいなのだ。

アリは日曜日何をしているのだろうか。

ゴロ寝、散歩、ジョギングなどをしているのだろうか。

しかし、アリがゴロ寝をしているところを見た人はいない。

散歩しているのを見た人もいない。

アリはいつだって急いでいるし、働いているところしか見たことがない。

ハエなんかは、けっこう日向ぼっこもするし、体の清掃をしながらくつろいでいる。

アリが日向ぼっこをしているのを見た人がいるだろうか。

アリたちが最大の美徳としているのは労働である。

衣服も労働を旨として作られている。

汚れの目だたない黒を選んでいるところはさすがだ。

これがもし白だったら……。

土中の生活の多いアリは、作業着の清掃に時をとられ、その分労働時間が減ることになる。そのあたりのことを、きちんと考えているのである。

全員、揃いの労働着で、人によってユニフォームが違うということもない。

夏休み昆虫観察日記

そのほうが余計なムダが省けるからだ。

誰を見ても同じデザイン、同じ色。

あれでよく相手を見分けられるものだと思うかも知れないが、彼らは見分けたりはしていない。

見分けたところで何のメリットもない。

相手が「アリだ」とわかればそれでいいのだ。

アリは礼儀も正しい。

アリ同士、出会うと立ちどまってきちんと挨拶をする。誰だかわからないのにきちんと挨拶をするところが偉い。

夏の夕方、陽が沈んであたりが薄暗くなってからも、まだ働いているアリをよく見かける。

アリは残業もいとわないのだ。

勤勉、寡黙、礼儀正しく、貯蓄に励み、秩

序を守り、階級を遵守する。

良民。まさに良民である。

イソップにもいろいろと可愛がられ、この世の春を謳歌してきた。

いままではこれでよかった。

思えばいままではアリの時代であった。

だが世の中は、時代とともに大きく変わる。

いま、労働に対する価値観が大きく変わろうとしている。

働き過ぎは、世界中の非難の的となっているのだ。

労働時間の短縮は世界の趨勢《すうせい》である。

そういう時代の流れのなかにあって、労働一本で生きてきたアリは、この事実をどう受けとめているのであろうか。

アリといえども、世界の流れにさからって生きていくことはできない。

時代の流れを、己れの生活の中に取り入れていかざるをえないのである。

どう取り入れていったらいいのだろうか。

とりあえず、まず取り組まなければならないのは時短であろう。

時短によって手に入れた時間を、アリはどうやって過ごすつもりなのだろうか。

とりあえずゴロ寝であろうか。

週休二日制になったら、アリはどうするつもりなのだろう。

とりあえず、キリギリスのところへ行って教えを乞わなければならない。

■セミ

セミは少しいい気になっているところがある。

増長しているのである。

増長して大声でわめく。

あんなに大きな声で鳴く昆虫がほかにいるだろうか。

コオロギもスズムシもキリギリスも、草葉の陰で、周囲を気にしながらひかえめに鳴いている。

聞いていて少しもうるさくないし、思わずしんみりすることもある。

深夜、小用に立った便所の片隅で、コオロギがかぼそく鳴いていることがある。その声をじっと聞いていると、俺の人生はこれでよかったのだろうか、と反省と悔恨の涙が頬を伝わることさえある。

コオロギの声にはそのぐらいの力がある。

しかるにセミはどうか。

草葉の陰どころか、頭上であたりかまわず大声で鳴き、ジジジジと飛びまわり、あまつさえついでに人間の頭に小便をかけたりする。

傍若無人とはこのことである。

あの鳴き声は何フォンに相当するのか知らないが相当のボリュームがある。

いまのところ、セミは夏だけしか現われないからいいが、もし一年中飛びまわって鳴かれたら、大抵の人は怒り出すにちがいない。

都会の団地の主婦あたりからは、当然苦情の電話が警察などに殺到し、警官は毎日セミ捕りに出動しなければならなくなる。

その声に多少の芸術性でもあれば救われるのだが、セミのメロディは単調でうるさいだけだ。

一生黙ったまま死んでいく昆虫もたくさんいるというのに、セミはなぜああもうるさく、ああも傍若無人にふるまうのであろうか。

古代ギリシャでは、セミは聖虫として敬われていたのである。

ホメロスさんなんかが、

「いきなり土の中から生まれてくるところが崇高である。神と同じく血を持たないから高徳である」

などと提唱しておだてたものだから、セミはいい気になってしまった。

中国なんかでも、

「セミは露を飲んでものを食べない。その姿は清らかで尊い」

などと評判になって、セミはますます増長してしまった。

日本でも孝徳天皇のときに、セミのマーク入りの冠をつくって、

「これは至高である」

ということになったので、セミの夜郎自大

に拍車がかかった。

それ以前のセミは、いまでは誰も信じないであろうが、謙虚、朴訥で有名であった。含羞、引っこみ思案でも有名であった。

いまでもそのころの習癖をかいまみせることがある。

鳴いてないときのセミは実に謙虚だ。

何だか照れくさそうにしている。

照れかくしにモゾモゾ動いたり、極まりわるそうにゴソゴソと人を避けたりしている。

おだてられてからのセミはまったくの自堕落になった。

セミは腹部全体が楽器になっている。

発音節から出た小さな音を、腹部のホールで共鳴させ拡大する。

他の昆虫たちから見れば、教会のパイプオルガンのようなものであろう。

これだけの装置を有していながら、かなでる音はミンミン一種である。カナカナ一種である。

パイプオルガンがありながら、ハトポッポしか弾けないのと同じだ。

しかも、毎日毎日ああして繰り返し鳴いているのに、少しも上達が感じられない。

もう一度初心に戻って、精進の毎日を送ってほしい。

■カブト虫

カブト虫は大物と言われている。

まず、なりが大きい。

カブト虫は、ついこのあいだまで日本最大の昆虫と言われていた。

一九八三年に、沖縄でヤンバルテナガコガネというカブト虫より大きい昆虫が発見され、首位の座をゆずることになった。

しかし、われわれが日常目にする昆虫の中では依然として最大である。

押し出し、態度も堂々としている。

全身黒ずくめ、風貌もいかめしい。

動きも大物らしくきわめて鷹揚《おうよう》だ。

ふんぞり返ってめったなことでは驚かない。

あたりを払う様は、功成り名遂げた観さえある。

身辺に何か起こっても、あわてず騒がず、大物らしく、おっとり、重厚に振るまう。

カブト虫を畳の上に置いてやると、いつまで経っても動かない。

大物の貫禄をみせてピクリとも動かない。

三十分ぐらい経って、ようやく片足だけソロリと動かしたりする。

これらのいかにも大物らしい行動は、すべて小心を隠すための演技である、ということは、いまだに人に知られていない。

カブト虫は大変な小心者なのである。

ノミより小心であるということは、一部の昆虫たちにしか知られていない。

人間でも、体の大きい人に気の小さい人が多いことはよく知られている。

小錦の心臓は、ノミの心臓と同じ大きさだと言われている。

カブト虫は、まさに昆虫界の小錦なのだ。

カブト虫の目を見ると、そのことがよくわかる。

トンボと比較するとよくわかるが、体格のわりに目が小さく、目に光がなく、ツヤがない。

いかにもオドオドした小心者の目である。

カブト虫は手で捕まえてもあまり抵抗しない。

セミだと大声で鳴いて暴れて大騒ぎをするが、カブト虫は鳴きもしなければ騒ぎもしない。

黙って手足をモゾモゾと少し動かすだけだ。

あわてず騒がず、いかにも大物風に振るまっているように見えるが、実はそうではなく、驚いて腰を抜かしているだけなのだ。

腰の抜けた様子がいかにも大物風にみえるということは、落語などでよく実証されている。

畳の上に置くと三十分ぐらい動かないのは、こわくて手足がすくんでいるせいなのだ。

「武士は三年に片頰」という諺《ことわざ》がある。

武士という階級の威厳を維持するために考え出された教訓である。

武士は笑ってはいけない。三年に一度、しかも片頰だけ。

こうすれば、たとえ小心な武士でも威厳だけは何とか保たれる。

カブト虫家の先祖代々の家訓にも同様のものがある。

「カブト虫は三十分で片足」というものだ。

この家訓は見事に守られ見事に成功した。

気が小さくて行動に出られず、思い余ってオドオドと片足を出しただけなのに、〝深い思慮の果ての重厚な決断〟ととってもらえる。

おでこにはり付いている長いツノも、実は邪魔なだけなのだ。

歩いていて葉っぱや枝、いろんなものに突っかかるし、重いし、バランスをとるのもラクではない。

葉っぱや枝に突っかかりながら歩いているときに、たまたまそこを通りかかったカミキリ虫をはじきとばしたことがあった。

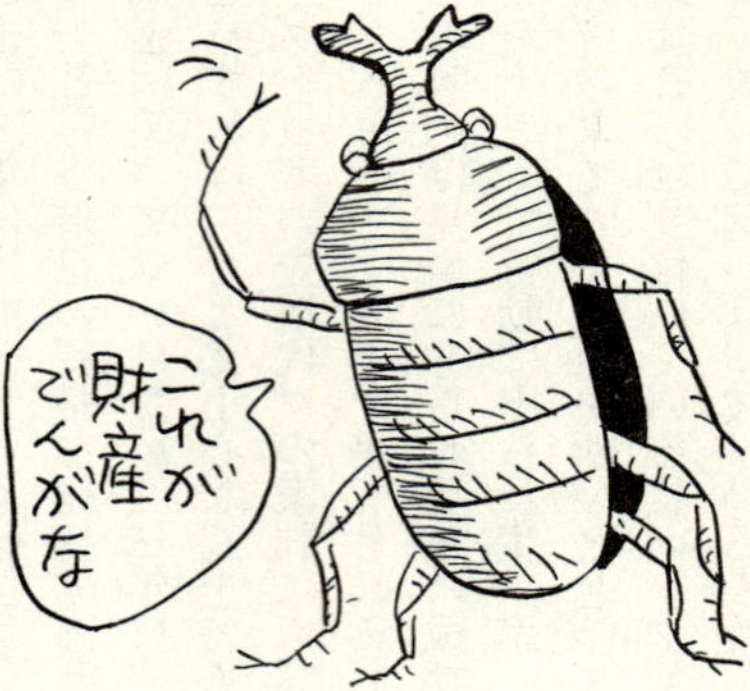

闘争心がある、ということになった。
勇猛心もある、ということになった。
はじきとばし方が鮮やかで確かな技が感じられた、ということになった。
ツノが人間の用いる鎧甲《よろいかぶと》にたまたま似ていたことも幸いした。
武将の面影がある、ということになった。
カブト虫は、自分の小心が逆の効果があることを知った。
おでこについているヘンなものが、相手を威嚇《いかく》するのに役立つことを知った。
知って利用するようになった。
だが、彼の小心は飛ぶときにすべてあらわれる。
飛ぶ直前まで、飛ぶとは気どらせない用心深さ。スキを窺う狡猾さ。
いざ、飛ぶ段になったときの素早さ。

飛んでいくときの、ドタバタしたあわてふためきぶり。

わたくしは、カブト虫のこの一部始終を見ていると、なぜか落選したときの代議士をいつも想像してしまうのである。

■キリギリス

キリギリスには何の罪もない。
イソップに目をつけられたのが不幸の始まりだ。
働き者のアリと対比させるための、スケープゴートとして選ばれてしまったのだ。
ただ単に〝鳴く〟ということだけのために、有罪にまで持っていかれてしまったのだ。
キリギリスは、いつものようにただ単に鳴いていただけにすぎない。
そこに踏みこんできて、
「バイオリンを弾いて面白おかしく遊んで贅沢に暮らしている」
という罪状を強引にでっちあげられ、引ったてられてしまったのである。
鳴く虫はほかにもたくさんいる。
スズムシも鳴くしコオロギも鳴く。マツムシだって鳴くしクツワムシも鳴く。
イソップはなぜキリギリスを選んだのか。
答えは簡単だ。

イソップは、〝派手に遊んでいる〟という印象が欲しかったのだ。

マツムシもスズムシもコオロギも、色は茶色だし体は小さいし何となく貧乏くさい。

貧乏くさい連中を「贅沢に暮らしている」としてしょっぴくわけにはいかない。

キリギリスは体格もいいし、色も模様も派手だし、いかにも遊んでる風だし、ディスコが似合いそうだし、イケイケ風でもある。

スケープゴートとしてはまさに適役だ。

それにキリギリスは、いかにも人の好さそうなカオをしている。カオにしまりがない。

そこにつけこまれた。

カオが長く、目が上のほうについていて、どことなく横浜の駒田選手に似ている。

駒田選手につけこむのはわけはない。

イソップは二千五百年前の人である。

キリギリスは、実に二千五百年もの間、無実の罪を着せられてきたのだ。

ただし、この冤罪には一つだけ救いがある。この冤罪話はキリギリスには少しも伝わっていない。

キリギリスは、人間にそんなふうに思われていることを全然知らない。

従ってキリギリスの人生に、この冤罪は何の影響も与えていないのである。

キリギリスは、昆虫仲間ではむしろ芸術家としての名が高い。

誰でも知っているように、キリギリスはスイッチョと鳴く。

スイッチョ、と鳴いて、しばらく間をおいて、また、スイッチョ、と鳴く。

決して、連続してスイッチョ、スイッチョとは鳴かない。

スズムシ、マツムシは間をおかない。

スズムシは絶えまなくリンリンリンリンと鳴くし、マツムシも連続してチンチロリン、チンチロリンと鳴く。

キリギリスはなぜ間を置くのか。

キリギリスは、この「間」の間に、次の手を考えているのである。

碁や将棋を指す人のように、

「次はどう鳴こうか」

と考えをめぐらしているのである。

とりあえずスイッチョと鳴いたあと、じっ

と考えこむ。

「ホイッチョもわるくないし、チョイッスという手だってある。いっそホイッスはどうか」

考えあぐねているうちに時間が経ってしまう。そこでキリギリスは、とりあえず、

「スイッチョ」

と鳴いておく。

スイッチョは無難だし、世間の通りもよい。

そしてまた考える。

「チョンギースという手もあるが、これは少し冒険が過ぎるのではないか」

迷っているうちにまた時間が経ってしまう。

そこでとりあえず、

「スイッチョ」

と鳴いておく。

「毎回毎回スイッチョ、スイッチョばかりでは飽きられるのではないか」

キリギリスはあせる。

「スイッチョとホイッチョとチョンギースをミックスして、チョンホイッチョギースでいってみるか」

わるくはないが少し長過ぎる。

考えているうちにまた時間が経つ。

そこでとりあえず、

「スイッチョ」

と鳴いておく。

キリギリスは死ぬときになって考える。

「いろいろ模索したり迷ったりしたけど、結果としては、スイッチョとしか鳴かなかったわけだなあ」

夏休み昆虫観察日記 II

■蚊

蚊は愉快犯である。
しかもかなりひねくれた、タチのわるい愉快犯だ。
何をやるにしても、普通のやり方では面白くないのだ。
人を不愉快にさせ、激怒させ、絶望させて喜ぶ。
このことは、人類ならば誰でも知っていることだ。
暑苦しい真夏の夜は誰だって眠れない。
寝返りをうつことおよそ百回、明け方近くになってようやくまどろみはじめる。
へうん、これでやっと何とか眠れそうだ。ああ、こうして眠りに落ちていく。ここまで

くればもう大丈夫。ああ、今はもう、深い眠りの底に沈んでい……〉

と思ったまさにそのとき、遠くからかすかに〝プィーン〟という羽音がしてくるのだ。

このときほど絶望的な気持ちになることはない。

このときほど、つくづくこの世の不条理を感じることはない。

どうしてもっと早く、ドッタンバッタンのときに来てくれなかったのか。

そのときならば、いくらでも対応の仕方はあったのだ。いくらでも喜んでお相手をしてあげられたのだ。

だが今はあいにく、人間としては半人前の状態になってこうして倒れているところだ。

〈寝ちゃおう、寝ちゃおう。気にしないで眠ってしまうことにしよう〉

と、タオルケットで耳をふさいで眠りの態勢をととのえたその耳元に、〝プィーン〟と今度はひときわ高く、大きく、これでもか、と接近して飛び去っていく。

これで怒らない人はいない。

どんなに修行を積んだ高僧でも、このときの蚊の仕打ちには激怒するという。〝プィーン〟の瞬間、思わず両手をパチンと打ちならして、こわごわ手のヒラを拡げてみる。

このとき、手の中に蚊がつぶれていれば世の中は常に平和だ。

蚊は飛び去って影も形もない。

しばらくの間、布団の上にすわりこんで蚊の動向をさぐるが、もはや〝プィーン〟のプの字も聞こえてこない。

〈そうか。奴も俺の剣幕に恐れをなしてついに諦めたか〉

そう思って再び横になり、しばらく耳をすましているうちにウトウトとなり、深い眠りに落ちようとするまさにそのとき、〝プィーン〟の音が急降下してくる。

蚊は普通のやり方では面白くないのだ。

眠りこんで無防備の人間から血を吸ったって、面白いことは一つもない。

いままさに眠りに入ろうとするそのときを、天井のあたりにひそんでじっと待っているのだ。

こんな小さな体で、あんなに大きな人間をあんなにも怒り狂わせることができる。

しかも何度でも、思うがままに怒らせることができる。

体格上からいえば勝負にならないはずなのに、堂々の勝負を挑んで悠々と勝つ。

しかも負けた相手が怒り狂う。

こんな愉快なことはないのではないか。

一度やったらやみつきになるのではないだろうか。

だから蚊は、眠りこんでしまった人はわざわざ起こす。

かゆみによって起こす。

ここに彼の悪質さがある。

黙って飛んできて黙って刺し、必要なだけの血を吸って黙って飛び去っていけば、両者の間に何のトラブルも起こらない。

吸っているときに、かゆくさえならなければ何も問題はない。

蚊の吸う血の量などたかがしれている。

人間は四百ccの血を一度に吸われても平気なのだ。

一晩に百匹の蚊に刺されたって平気だ。

しかしそれでは蚊の楽しみが一つもない。

とりあえず、〝プィーン〟という飛来音で第一の嫌がらせをする。

飛来音の嫌がらせが通用しない相手には、かゆみで第二波の嫌がらせ攻撃をかける。

飛来音も、様々の音をためしてみて、人間の最も嫌う音を選んだ。

〝プィーン〟という、甲高くて、最も人間のカンにさわる音を選んだ。

スルスルとか、サワサワならば、人間はそれほど攻撃的に反応しないはずだ。

数ある昆虫の中で、名前が一音というのは蚊だけである。

このことは、人間の蚊に対する憎しみを如実にあらわしている。

蚊に刺されると、大抵の人間はカッとなる。

蚊という名前はそこからきたとさえ言われている（ような気がする）。

蚊一音説はもう一つある。

昔の人は、今の人以上に蚊の防戦に忙しかったので、いちいち長い名前を言っていられなかったという説である。

突然、蚊に刺された人は、思わず、

「この、蚊ん畜生め」

と言って刺された箇所をたたく。

たたいているうちに、また別のところを刺される。

このとき、蚊の名前が長い名前だったら、例えば、「るりかたびろおおきのこむし」という名前だったらどうなるか。

刺されるたびに、

「この、るりかたびろおおきのこむしめ」「この、るりかたびろおおきのこむしめ」

と言い続けなければならず、こうなると舌はもつれてくるし声も嗄《か》れてくる。

それを避けるためだった、という説なのだが、この説はかなりの信憑《しんぴょう》性がある（ような気がする）。

■蝶

蝶は鳴かない。

これは昆虫界の七不思議の一つとされている。

蝶は鳴いても少しも不思議ではない。

派手好き、遊び好き、イケイケ風行動、どれをとっても歌好きに結びつく。

そしてまた、あの容姿には歌が似合う。

それほど派手でもないキリギリスが鳴き、コオロギが鳴き、無骨なセミさえ鳴くという昆虫界の音楽状況の中では、蝶はむしろ鳴くべきであったとぼくは思う。

昆虫図鑑などを見ても、蝶のページが一番華やかだ。ページ数も多くをさいている。

色とりどり、どぎつい衣裳の多い蝶のページを見ていると、何だかキャバレーにまぎれこんだような錯覚におちいる。

「エート、このページではね、指名するとしたらこの娘《こ》だな」

なんて気持ちになってしまう。

夜の蝶、銀座の蝶、マダムバタフライなど、そういったイメージの表現は多い。

昆虫界の〝水系〟。

カブト虫、ギンヤンマ、カミキリ虫などを昆虫界の体育会系とするならば、蝶はキャピキャピ系、イケイケ系と言ってもよい。

蝶と言えば花、花と言えば蝶。

花から花へヒラヒラと、飛んで浮かれて遊んで暮らす。

蝶にはそういうイメージが定着している。

二羽の蝶がもつれあって飛ぶ、というのもいい印象を与えていない。

人はあれを、不純異性交遊と受けとる。

あれは果たして不純異性交遊なのか。

蝶はなぜ鳴かないのか。

蝶は本当に遊び人なのか。

興信所を使って調べたところ、意外な事実が浮かびあがってきたのである。

蝶は真面目なのであった。

すべて誤解されているのであった。

まず派手な衣裳。

あれは、やむにやまれぬ衣裳なのであった。

意外にも真面目な衣裳なのであった。

蝶はトンボほどの飛翔力はない。ヒラヒラと弱々しくしか飛ぶことができない。

羽根が大きいために、身を隠すのが容易ではない。

このことから窮余の一策を思いついた。逆の手段を思いついたのである。

かえって目立ってしまおう、そう思ったのである。

蝶の武器は、食べてまずい、おいしくないということである。

実際にぼくは食べてみたことがないので、くわしいことはわからないが、このことは昆虫学者の間では定説となっている。

昆虫の世界にも、食味評論家がいて、

「バッタの胸肉は、まったりとしておいしいが、カマキリの羽根は歯にはさまってまずい」

などと言っているわけではなく、まずさの基本は苦みであるらしい。

カメ虫などは、臭い液を出して自分を食べないように警告している。

テントウ虫も、体の中に苦い液があってまずいと言われている。

テントウ虫も、〝目立ち作戦〟をとっていて、食べてもまずいよ、という信号を送っている。

蝶の派手な衣裳もむろん同様で、隠れることなく、堂々と目立つことによって自分の身を守っているのである。

ヒラヒラと飛ぶ、というのも誤解のもとになっている。

いかにも遊んでいるように見えるが、蝶は蝶なりのやり方で働いているのである。

蝶も蜂も、花から蜜を採集している。

同じことをしていながら、蜂は動作が敏捷なために、いかにも働いているように見える。

働き蜂、などという言葉さえ、蜂には与えられている。

同じように働いていながら、働き蝶、という言葉はない。

二羽でヒラヒラ飛んでいるのを、若いもんの不純異性交遊ととらえる人が多いが、それも誤解なのである。

あれはちゃんとした夫婦なのだ。

夫婦で花の蜜の収集に励んでいるのである。

真面目に働いている姿なのだ。

夫婦であれば、人前で多少イチャツクことがあっても当然のことだ。

蝶のイチャツキをうんぬんするならば、トンボの行為こそもっと非難されるべきではないか。

トンボの尾つながりは、性行為そのものである。

ま、夫婦であればそういう行為も当然だが、つながったまま人前に出る、というのはいかがなものか。

非難されて当然のトンボの尾つながりが非難されず、蝶のイチャツキが非難されるのはどういうわけか。

トンボには政府といううしろだてがついているのだ。

トンボは益虫である。特に稲関係の害虫を好んで食べる。

昔は、米の増産は国策であった。

トンボは政府に協力していたのである。

政府協力虫として、昆虫界では大物としてふるまっていたのだ。

そういう大物を誰が非難できよう。

たとえ夫婦でつながったまま人前に出ても、だ。

そういうわけで、蝶は数々の誤解を受けながら生きてきた。

蝶が歌わないのは、夫婦で働くのに忙しく、歌など歌っているヒマがないからなのである。

■ホタル

昆虫のお尻が光る……。

その内部に、まるで豆電球が埋めこまれているかのようにピカピカ光る。

これは大変なことだ。

名古屋弁で言えば、どえりゃーことだ。

ホタルという実例を知っているから、人はそれほどそのことを驚かないが、もし、ホタルという実例を知らない人種にこのことを説明するとしたら、これはなかなか容易なことではない。

簡単には納得してくれないはずだ。

名古屋弁で言えば、

「ホラ、吹きゃーすな」

ということになって、一笑にふされるにちがいない。

ホタルは、昆虫の進化の過程のどのへんで出現したか知らないが、もし当時、昆虫新聞というものが発行されていたとすれば、

「昆虫界に初の照明装置！」

という大見出しがついたにちがいない。

「昆虫界のエジソン現わる！」

ということになり、昆虫類の大偉業ということになって、国民栄誉賞はまちがいなかったはずだ。

人類でさえ、松明《たいまつ》、行燈《あんどん》、蠟燭《ろうそく》、ランプ、フィラメント、蛍光灯という過程を経てきているのに、昆虫界はいきなり蛍光灯を手にしたのだ。

これを偉業と言わずして何が偉業か。

それでなくても昆虫たちは、暗闇で苦労していたはずだ。

暗闇の中で、せっかく捕えたエサを取り落として、悲嘆にくれたこともあったにちがいない。

そんなとき、たまたま上空に飛来してきたホタルのサーチライトは、どんなにかありがたかったにちがいない。

本来ならば、ホタルの子孫たちは、この発明の遺産で遊んで暮らしていけるはずなの

だ。

だが、いっこうにそういう噂は耳にしたことがない。

それどころか、昆虫たちの間のホタルの評判はよくない。

迷惑だ、というのである。

そしてまた、ホタルの子孫たちの、この照明装置に対する評判もよくない。

迷惑だ、というのである。

ホタルの子孫たちは、自分のお尻が光ることで大変困っている。

先祖はとんでもないことをしてくれた、と憤慨している。

ホタルは、自分のお尻が光ることで得したことなど一つもない。

出来ることなら、何とかして消したいと思っている。

ホタル一族は、この照明装置を消す方法をずうっと研究してきた。

だが、いまだにその方法が見つからない。

「せめて、スイッチをつけておいてくれればよかったのに」

という声が、研究者の間に悲鳴まじりにささやかれはじめているという。

ホタルのお尻はどういうメカニズムで光るのか。

どういう目的で光るのか。

いまだにこのことははっきり解明されていない。

メカニズムのほうは、ほんの少しだけ研究が進んだ。

名古屋弁で説明すると、

「発光物質ルシフェリンが、アデノシン三燐酸（ATP）によってエネルギーの供給を受け、ルシフェラーゼという酵素の働きによって酸素と化学反応を起こし、オキシルシフェリンという物質に変わるときに発光するだぎゃー」

ということになる。

せっかく名古屋弁を使用したのに、「だぎゃー」のところだけしか名古屋弁にならなかったが、要するに、化学変化の説明は、たとえ何弁を使用してもむずかしい、ということがわかってもらえればそれでいい。

これでメカニズムのほうはようくわかった。

何だかよくわからないがようくわかった。

目的のほうはどうなのか。

いま、いちおう定説となっているのは「異性間の信号説」である。

雄が上空を飛びながら点滅をくり返すと、地上から雌が点滅で応ずる。

「一発どうかね？」「いいえ、けっこう」なんてことになって雄は次を目ざす。

つまり、ホタルの発光は生殖のためにある、という説である。

ところが厄介なことに、ホタルは幼虫時代も光る。卵や蛹《さなぎ》が発光するのもある。

幼虫時代だけ光り、成虫になると発光しないのもあるという。

さあ、こうなると何が何だかわからない。

ホタルの近隣の昆虫も、あの光は近所迷惑だと騒いでいる。

夜行性の昆虫たちは、夜陰に乗じて行動して目的のエサ（昆虫）を捕まえる。暗闇が彼らを優位にしているのだ。

なのに、エサの周辺を照らされてしまっては、かえって相手を目覚めさせてしまう。そうしたことと関係なく、夜、安らかに眠っている昆虫たちにとってもホタルの光は迷惑だ。まぶしくて寝ていられない。

人類の間でも、住宅地域のネオンは地域住民の苦情のタネになっている。いまやホタルも、地域昆虫の苦情の対応に苦慮していると言われている。

ホタル自身にとっても、お尻の光には困りはてている。

同じような水辺に住むカエルは、ホタルの光をたよりにホタルを捕まえて食べる。ホタルを食べる鳥たちも、夜は眠っているが、そのすぐそばでピカピカやられれば当然目が覚める。

有利なことなど一つもないのだ。

ホタルは夏になると、夜な夜な寄り集まって、どうやったら自分たちの光を消すことができるか、その会議を開いているのである。

B級の鉄人との対話

里見真三……知る人ぞ知るB級グルメの鉄人。略してB鉄。あるときは「どんぶり探偵団」の団長。またあるときはB級ラーメンの鑑定人。そしてまたあるときは元祖原寸大ムック『ベスト　オブ　ラーメン』『ベスト　オブ　丼』などの『ベスト　オブ……』シリーズの仕掛人。

東海林　先日、博多の「八っちゃん」についに行きました。

里見　とうとう行きましたか。究極のギトギトラーメンの店に。

東海林　ギトギトというよりドロドロ（笑）。

里見　スープの濃さでは日本一でしょうね。

東海林　ということは東洋一。

里見　ということは世界一。

東海林　最近「なんでんかんでん」などの九州系濃厚ラーメンが、次第に勢力を拡大していて、一種の濃厚競争のような観を呈しているわけですが、その元締めのような存在が博多の「八っちゃん」。

里見　「八っちゃん」のスープは、丼の内壁にしたたったスープが、そこからずり落ちないではりつく。

東海林　ラーメンのスープの濃厚はここまでいくのか、と、食べていてつくづく恐ろしくなりました。

里見　「八っちゃん」のスープは、大釜に四、五十キロのトンコツを、鉄棒でたたき割って放りこみ、十四、五時間、太い棒で掻き回しながら煮つめるわけです。

東海林　十四、五時間ということは、ほとんど一日中というわけですね。

里見　すると、まあ、当然髄は溶け出るわけですが、あの硬い骨も溶け出るわけです。

東海林　ちょっと待ってくださいよ。骨も溶けるわけですか。

里見　この『ベスト　オブ　ラーメン』のここに「八っちゃん」が載ってますが、ホラ、この写真、右側の長さ約三十センチの骨が、十四、五時間後には、ホラ、このように、長さ七、八センチほどになっている。

東海林　ほんとだ。溶けたんだ。

里見　仕上がった鍋の底を見せてもらいましたが、溶けた骨が細かい砂のように沈澱していました。

東海林　砂礫層というか……。

里見　丼にスープをはるときは、必ず棒で丹念に掻き回すんです。鍋の表面に浮いている脂の層と、底に沈んでいる骨粉の層を均等に混ぜてから丼にはる。

東海林　脂の層も大変なもので、鍋の中は一種の沼ですね。沼ラーメン（笑）。
　日本のラーメンの中の沼派という一派ですね。

里見　日本ドロドロ代表（笑）。

東海林　地元のタクシーの運転手が言ってましたが、毎日食べたいが、毎日食べると胃がやられる（笑）。

里見　あれは人類の食べるもんじゃありません（笑）。

東海林　あそこまで行きつくところまで行ったラーメンは、東京にはまだないようですね。

里見　いずれ上京してくるでしょう。

東海林　そして、いずれ、さらにその上を行くものが出てくる。

里見　なんだか恐いな（笑）。

東海林　脂と骨と髄とゼラチンとニカワなんかが入り混じってプリプリして……。

里見　スープにお箸が立つ（笑）。

東海林　いまんとこはありませんね、お箸が立つラーメンは。

里見　いずれ立つ（笑）。

東海林　「キミはもう食べたか。箸立ちラーメン」（笑）

里見　しかし、そのうち、さらにその上を行くラーメンが出てくる。

東海林　どうなりますか。

里見　「箸立たずラーメン」（笑）

東海林　箸が折れちゃうのね。「キミはもう食べたか。箸折れラーメン」（笑）

（『ベスト　オブ　ラーメン』の「八っちゃん」の実物大のラーメンの写真をつくづく見て）

しかし、ついこのあいだ食べた「八っちゃん」のラーメンは、この写真のよりさらに

暗いラーメン屋
「八ちゃん」の店主
ではありません

濃厚になってましたよ。こんなもんじゃありません。

里見　この写真を撮ったのが昭和六十一年ですから、あのオヤジは、あれからさらに〝濃厚への道〟を突き進んでるんだ。

東海林　なんかこう、マニアックな感じの人で。

里見　痩せていてね。

東海林　細長いカウンターだけの店で、天井が低くて、暗くて、蜘蛛の巣こそ張ってないが、なんだか魔窟のような暗い店の、暗い照明の下で、オヤジは暗い顔してひたすら鍋の中を見つめていて……。

里見　その鍋の中はほとんど沼で……。

東海林　どうやったらこれ以上ドロドロになるか、ほとんどもう自暴自棄になっているような感じで……（笑）。

里見　（しみじみと写真を見て）そうか、これ以上濃厚になっていたか。

東海林　それにしても、この実物大の写真というものは迫力がありますね。

里見　真上から撮っているから臨場感がある。

東海林　本当にもう、ラーメンが目の前に置いてあるような……。思わず写真の丼のフチに口をつけてスープをすすりたくなりますね。

里見　こういう大きさの紙（用紙）って、普通はありえないんですね。

東海林　変型判もいいとこですよね。

里見　ところが、たまたま美容師の業界誌みたいな季刊誌があって、これがちょうど人間の実物大の顔が入る紙なんですね。

東海林　あ、そうか。人間の顔と、ラーメンの丼の大きさが……。

里見　だいたい同じなんです。もちろんそれ以上大きい人もいますが。

東海林　（うつむく）

里見　この紙は、二十四センチ掛ける三十四センチなんです。

東海林　（うつむく）

里見　それで、この紙を安く融通するという印刷会社があって、だったらこれでラーメンをやってみようということになったんです。

東海林　ヒョウタンからコマ。顔からラーメン。

ラーメンの丼と人間の顔は
同じ大きさだった!!

里見　たまたま美容師さんのその雑誌を見ながら出前のラーメンを食べていたんです。で、ラーメンの丼を、その雑誌の上に置いたらスポッと入った。

東海林　丼物もむろん入るから『ベスト　オブ　丼』。寿司桶も入るから『ベスト　オブ　すし』。

里見　でもスパゲティはダメなんです。あの皿は入らない。

東海林　「ベスト　オブ　サンマ」なんてのもちょっと無理だろうな。

里見　「ベスト　オブ　越前ガニ」もね。

東海林　「ベスト　オブ　スイカ」も。

里見　専門的な話をしますとね。この『ベスト　オブ……』は「KOMORIリスロン」というオフセット印刷の四色機を使ってるんです。美術全集なんかを刷るやつで、普通は十六頁だけど、その四分の一の四頁刷るんです。ですから目茶苦茶に印刷コストがかかってる。

東海林　これだけの写真集で千二百円というのは安い。ヘア・ヌード写真集だったら四、五千円はしますものね。ま、モデルの出演料はタダだけど。

里見　いえ。ちゃんと払うんです。四百円とか、六百円とか。定価ですけどね。

東海林　あ、定価分ね。

里見　撮影料要求する店もありますよ、最近は。

東海林　取材拒否の店も多いんじゃないですか、最近は。

里見　「丸福」がそうでしたね。ですから「丸福」の実物写真は、うちの、この『ベスト オブ ラーメン』だけだと思いますよ。空前絶後。

東海林　どうやって撮らせていただいたんですか。

里見　とにかく誠意。誠意に誠意を見せて。

東海林　ごきげんにごきげんをとって……（笑）。

里見　例のあのとおりの店ですから。お客にだって「ありがとう」って言わないような方だから。もう写させるなんてとんでもない話で（笑）。

東海林　しかし、この印刷の技術もさることながら、撮影の技術というものもいろいろあるわけでしょう。
里見 あります。長年やってますから、その間に培った技術とか、秘伝とかね。
東海林 この頁のこのラーメンのスープの、この小さな油滴のつらなり、とか、この大きな油滴と油滴がくっつきあったあたりとか。こういう臨場感を出す技術とかは……。
里見 大変なもんです。ラーメンが出来あがったらスリーシャッター以内、とか。
東海林 あ、それ以上やってると麺が伸びちゃう。
里見 真冬なんか湯気が猛烈に立ちますでしょう。それを真上から撮るわけですからレンズが曇る。だから湯気を消さなければならない。
東海林 どういう技術で消すんですか。
里見 ウチワであおぐんです。
東海林 大した技術じゃないな（笑）。
里見 ハハハハ。しかし、ウチワのあおぎ方には技術が要る。
東海林 どんな技術です。
里見 あんまり強くあおがない。あんまり強くあおぐと海苔が飛ぶ。冬なんかギトギトラーメンの脂が固まってしまうし……（笑）。
東海林 海苔が飛ばない程度、というところにむずかしさがある。
『ベスト　オブ　ラーメン』シリーズはもう三冊目でしょう。次から次へと新しいラーメン屋を探すのって、けっこう大変でしょう。

里見　比較的若いライダー、っていうか、オートバイ好きの若い人ね。そういう人が意外にそういう情報持ってたりしますね。団地の中の店とか。

東海林　なるほど。つまり身軽なわけですね。どこへでも入りこんでいける。『ベスト　オブ……』シリーズは、いまのところ、ラーメンと寿司と丼と蕎麦ですよね。あと、まだまだいけそうですね。

里見　「日本の焼鳥一万本」というのをやりたいんですけどね。原寸で入るし。

東海林　一万本というのがいいな。一万本シリーズ。「日本のチクワ一万本」。

里見　「日本のタクアン一万本」。

東海林　山田風太郎さんが『ベスト　オブ……』の愛読者でいらっしゃって、ときどき葉書をくれるんですよ。冷やしラーメンでどうか、とかね。

東海林　「日本定食百景」ってのはどうですか、けっこうバラエティありますしね。

里見　「さばの味噌煮百態」とかね。こういうのって、〝大人の絵本〟なんですね。ヒマなとき、パラパラめくって楽しむ。

東海林　こういう料理本ていうか、見て楽しんだり、あるいは作ったりする本を、男も読むようになったのは、わりに最近のことですよね。

里見　いわゆる、どこそこの何が旨い、という本は、わりに昔からありましたけどね。

超変形版
「ベスト・オブ・焼きサンマ」

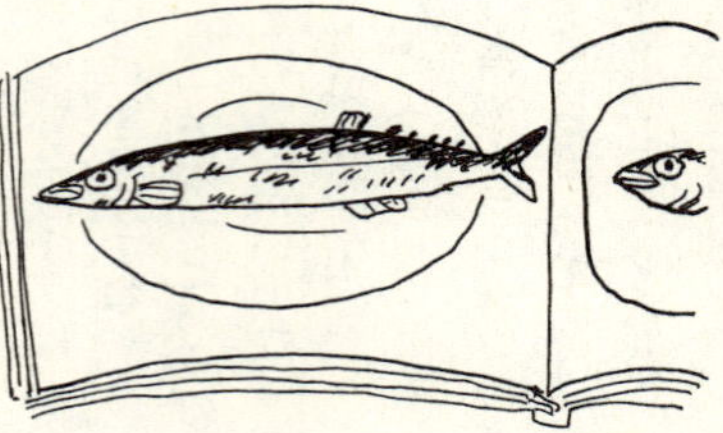

小島政二郎さんとか。
東海林　作ったりするのは荻昌弘さんあたりからかな。
里見　それから檀一雄さんとかね。
東海林　荻さんの『男のだいどこ』でしたっけ。
里見　あれは昭和四十六、七年でした。
東海林　あのころは、まだ男の料理に市民権がなくて、男が料理のことに口出すなんて、という風潮がありましたよね。
里見　荻さんも、なんか、おそるおそるという感じで。
東海林　自分が料理するってことを、妙に弁解しながら書いてましたね。
里見　晩年の堂々とした食べ物の本と比べて、牛肉の佃煮なんか作っても、そんな高い肉じゃなくていい、コマ切れでいい、とかなんとか妙に言い訳したりして（笑）。

東海林　いろんな意味で、男が料理に口出すのに抵抗がある時代だったんですね。

里見　ですから、荻さんの初期あたりは、ホモと同じだったんですね、料理する男は。

東海林　ホモはひどい（笑）。でも、たしかに、ぼくなんかもコソコソしてましたね。当時はまだスーパーなんかなかった時代で、大根は八百屋、肉は肉屋で、という時代でしたからね。八百屋の店頭で、奥さん連中に混ざって並んで待ってたりすると、奥さんたちのぼくを見る目はたしかにきびしかったですね。なんかこう、変質者を見るような（笑）。

里見　ぼくは高校三年生のときにラーメン屋をやっておりまして。

東海林　エ？　自分でですか。

里見　通っていた高校が不思議な学校でして、学校の敷地の中の小屋を借りて、授業サボってラーメン屋をやってたんです。

東海林　エ？　あの……。すると……、つまり……、なんていうか……。いやぁ、お客は生徒ですよね。

里見　生徒と教師です。

東海林　エ？　すると、あの……。もう、なんだかワケがわからなくなってきた。

里見　友だちと三人で、学校の中でラーメン屋を始めたわけです。

東海林　どういうラーメンですか。

里見　ちゃんとトリガラとトンコツと……。世田谷のラーメン屋に教えてもらって、一から十までその店の作り方と同じラーメンを作りました。メンマなんかは作れませんので、その店から原価で売ってもらって。

東海林　行きつけの親しい店があったということですね。しかし、よく学校がそんなことを許しましたね。

里見　ちゃんと学校の許可を得ました。これも創造活動の一種である、ということになって。

東海林　学校は男子校ですか。

里見　いや、男女校です。普通の学校です。

東海林　エーと、時代的にはいつごろなのかな。一杯いくらで売りました？

里見　ちょうどそのころ、モリ、カケが十七円だったかな。ですから三十円ぐらいだったと思います。

東海林　ぼくが大学一年生のときも、ラーメンが一杯三十円でした。ウィスキーのソーダ割りが五十円という時代で。

里見　授業中にラーメンのツケを取ってまわったりして、実に不思議な学生生活でした。

東海林　あのころはまだあったんだなあ、そういう高校が。

里見　そういう意味では、高校生でありながらプロだったわけで。

東海林　高校生でありながらラーメン屋のオヤジだ（笑）。

里見　いい経験だったと思います。

東海林　うん、テレビドラマになるんじゃないかな。「ラーメン屋高校生」。でも相当な小づかい稼ぎになったでしょう。

里見　ラーメン屋は半年でぽしゃりました。

東海林　そりゃまたなぜ？

里見　大変な食中毒事件を起こしまして。

東海林　そりゃまたなんで？

里見　当時はまだ冷蔵庫がそれほど普及してなくて、スープは寸胴に入れたまま翌日に持ちこしてたんです。

夏だったんですが、朝、寸胴の中をのぞいたらトンコツにタワシのようなものがついている。

ナンダロと思いながら拭きとってそのまま開店したら、それが実はカビだったんです。食べた生徒が次々に倒れて救急車で運ばれました。

東海林　当然、営業停止ということに……。

里見　なりました。

東海林　最近はどんなものを作ったりしてますか。

里見　なんとかミネストローネスープを完成させたいな、と。

東海林　どんなもんですか、それは。

里見　イタリアの、まあ、家庭料理みたいなもんで、野菜と豆とそれから若干のトロミをつけるためにパスタか米を、ちょっと入れる。非常に野菜が多くて、ドロドロしてて、しかも食べるとちゃんと野菜の味がしてという、非常に体にいいものなんですけど。

東海林　往年のラーメン中毒仕掛人少年も、ついに体のことを考えるようになってきた（笑）。

五月の病い

医者　どうぞ、その長いソファにおすわりください。そして、あお向けに寝てください。そうです。その四角いクッションを枕にして頭をのせて……。そうして胸のところで手を組んでください。足はラクに伸ばして、天井のあたりでも見ていてください。

青年　………。

母　ヤスオちゃん。ラクにね。ラクーな気持ちで先生に悩みをうちあけるのよ。

医者　で、どうしたんですか。

青年　それがですね、先生。

医者　あ、起き上がらないで。天井を向いたままでいいですから。

母　先生の言うとおりにね。

青年　あのう、何と言ったらいいのか……。ぼく困ってるんです。

医者　ほう。どんなことで？
青年　つまりですね、モテるんです。ぼくってとてもモテるんです。それで困ってるんです。
医者　どんなふうにモテるんですか？
青年　たとえばですね。きょう、ここへ来るにしてもですね、電車に乗ってきたわけですけど、こう、駅の改札を通って、階段上がってホームに出るんですけど、もう追っかけてくるわけですよ。
医者　誰が？
青年　女の子が。
医者　つけてくるわけですね、あなたを。
青年　そうなんです。朝、毎日会社に行くときもそうなんです。ぼくはいつも駅のホームに上がって、あ、四番線なんですけど、四番線のホームに上がって、ぼくはいつも進行方向の反対側、つまりうしろ側に向かうわけです。
医者　階段はホームのまん中あたりにあるわけですね。
青年　そうです。で、うしろに向かって、階段から十五メートルぐらいのところにあるキヨスクのナナメ前あたりで電車を待つことにしてるんですけど、そこにぼくが立ちどまると、女の子も立ちどまるんです。

医者　あなたをつけてきた女の子がですね？
青年　そうです。
医者　その子はいつも決まった子ですか？
青年　そうなんです。いつもつけてきて、いつもぼくが立ちどまると立ちどまるんです。
医者　それからどうなります？
青年　その子はぼくの右うしろあたりに佇《たたず》んでいるんです。なんかこう、うしろからぼくを見守っているような感じで。
医者　続けてください。
青年　で、ぼくはそのまま電車を待っていると、また一人、階段を上がってきた女の子がぼくのほうに近づいてきて、こんどの子はぼくの左側に立ちどまるわけです。
医者　ほう、ほう。
青年　その子のポーズに、「意識してるわよ、あなたのことを」という意思表示みたいなものが感じられるんです。
医者　つまり「あなたが好きよ」と言ってるわけですね？
青年　あからさまに言ってしまえばそういうことになります。
医者　続けてください。
青年　と思っているうちに、また次に階段を上がってきた女の子が、またぼくのほうに近寄ってきて、その子はぼくのまうしろあたりで立ちどまるんです。
医者　群がってくるわけですね、あなたのところに女の子たちが。
青年　そうとしか考えられないんです。
医者　それからどうなります？
青年　やがて電車が来ますよね。ぼくが位置しているところは、うしろから四輛目の車輛の前から二番目のドアのところなんですが、ぼくがそのドアから乗り込むと、その子たちもぼくのあとをつけて乗ってくるわけです。
母　ですからね、先生……。
医者　おかあさんは黙っていてください。
青年　女の子たちを引きつれてって言うとヘンなんですけど、実際にそうなんです。女の子たちを引きつれてぼくは電車に乗り込むわけです。
医者　あなたとその女の子たちばかりでなく、ほかの乗客たちもそのドアから乗り込むわけですね。

母　ですからね、先生……。

医者　おかあさんは黙っていてください。

青年　先生のおっしゃりたいのは、その子たちは偶然そのドアから乗ってくるだけなんじゃないか、ということでしょう？　別にぼくに好意を持ったからいっしょに乗り込むわけではないんじゃないか、ということでしょう？

医者　どうなんでしょう？　そのへんのところは。

青年　そうなのかどうかということは、いずれはっきりわかることになります。

先生。ぼくは何の根拠もなくてこんなことを言ってるんではないんですよ。単なるうぬぼれで言ってるんじゃないんですよ。たとえばきょうだって、駅の階段上がってキヨスクのところに向かう間にも、いろんな女の子たちから声をかけられているんですよ。

医者　なんて？

青年　本当に声をかけてくるわけではありませんよ。彼女たちはそんなはしたない子ではないですからね。目ですね。目で声をかけてくるんです。

医者　どんなふうに？

青年　好意を持った目って言うんですか。昔は色目をつかう、なんて言ったそうですけど、そういうふうな目で見られるってこと、よくあるんじゃないですか。

医者　ないなあ、ぼくは。
青年　そうかもしれません。ふつうの人はめったにないことかもしれません。
医者　その、好意を持った目っていうのが、いまひとつよくわからないんだけど。あなたはしょっちゅうそういう目で見られるわけですか？
青年　目だけに関して言えばそれほどでもありません。好意は目だけに表れるわけではないのです。しぐさにも表れるんです。
医者　ほう。しぐさに好意が表れる？
青年　そうです。例えば街を歩いているとき、向こうから女の子が歩いてくることがありますね。お互い若いですから、十二、三メートルぐらい離れてるところから意識しはじめて、だんだん近づいてきて、あと五メートルぐらいってときに、ふと、って感じで髪の毛に手をやって髪型を直す女の子っているじゃないですか。
医者　いるでしょうね。
青年　その子はぼくに好意を持った子なのです。
医者　ほう。どうして？
青年　いいですか、先生。ぼくは長い間かかってこのことを発見したのです。女の人って、好きな人には自分の乱れた髪の顔を見せたくないものなんです。
医者　あ、なるほど。

青年　好きな人には、きちんと髪型を直して、最高のいい顔を見せたいものなんです。

医者　つまり、向こうから歩いてくるうちに、あなたのことを好きになってしまったので、あと五メートルってときに、急いで髪型を直したと。

青年　そういうことです。

医者　しかし、一理あるなあ。

青年　ぼくの場合、そういう子がとても多いんです。

医者　向こうから歩いてきて、直前で髪型を直す子がですね。

青年　そうです。

医者　風の強い日なんかはどうなります？

青年　先生。先生はぼくをからかってるんですか。

医者　いや、そういうわけではないんだけど、一応どうなるのかなって思ったもんで。話を戻しましょう。するとですね、あと、五、六メートルというところで髪に手をやった子は、いよいよすれちがうとき、当然、好意のこもった目であなたを見ることになるわけですね。

青年　そうとは限りません。もちろん見る場合もありますが、見ないからといって好意を持たなかったということにはならないんです。

医者　ほう。

青年　むしろ、好きだからこそ見ない、という場合のほうが多いと思います。

医者　好きだからこそ見ない？

青年　いや、好きであればあるほど見ない、と言ってもいいと思います。

医者　そこのところを、よく説明していただけませんか。

青年　そういう子は、だんだん近づいてきて、いよいよすれちがう一瞬、ぼくを見ないで、ふと、という感じで遠くの街並みに目をやったりするのです。

医者　そういうのを、ふつう、無視っていうんじゃないですか。

青年　いいえ、ちがいます。彼女は遠くの街並みに目をやったときの表情が、自分の一番いい表情だと思っているからなのです。女の人というものは、自分の一番いい表情はどれか、最高の表情はどれか、いつも鏡を見て研究しているものなのです。

医者　そういうものでしょうね。

青年　すれちがう一瞬、自分の最高の表情を見てもらいたい。
医者　あ、なるほど。
青年　自分の好きな人に、自分の一番いい表情を見せてすれちがっていきたい……。
医者　当然、あなたに対してそういう態度をとる女の子は多いでしょうね。
青年　とても多いです。
看護婦　先生。あの、ちょっといいですか。
医者　ハイ。
看護婦　このカルテ、このまま健保のほうに出してよろしいでしょうか。
医者　どれ、どれ、ちょっと見せて。フム、フム。ここんところ、四点にして出しといて。あとはいいです。
看護婦　ハイ。
医者　どうも失礼しました。エート、どこまでいったかな。そうそう、あなたのほうを見ないですれちがっていく女の子が多い、と。なぜかというと、あなたを愛しているから、と。
青年　先生。あの看護婦、ぼくに好意を持ちました。
医者　ほう。
青年　ぼくに会いにきたのです。

医者　しかし彼女はいま、カルテのことを訊きに来ただけだと思うけど。
青年　そのカルテのことは、いますぐ検討しなければならないような、緊急を要する用件だったんですか。
医者　いや、それほど急ぐというようなものではないと思うけど。
青年　そこです。彼女はぼくに会うために来たんです。
医者　しかし、緊急を要するというほどの用件ではないかもしれないが、彼女の仕事の手順の上で、いま訊いといたほうがいいというようなことはあったかもしれないね。
青年　カルテはダシです。カルテをダシにしてぼくに会いにきたのです。先生。ぼくはさっき、受付のところで彼女とすれちがっているのです。
医者　ああそうですか。
青年　そのとき、ぼくははっきり見ているんです。そのとき彼女の白い帽子は左に少しかしいでいました。
医者　ほう。
青年　いま、チラと見たときは、帽子はきちんと真上のところに直っていました。
医者　看護婦というものは、ときどき鏡を見て服装を直したりはするものだが……。それに、さっき、彼女はあなたのほうなんか一瞥《いちべつ》さえしなかったんじゃなかったかな。
青年　そこです、先生。

医者　会いに来たのなら、一瞥ぐらいはするんじゃないのかな。
青年　そこです、先生。
医者　強引すぎないかな、あなたの論理は。
青年　先生。さっきの男女がすれちがうときの話を思い出してください。
医者　エート、なんでしたっけ。
青年　相手に好意を持った女の人は、まずどんな動作をするか。
医者　髪に手をやる、でしたっけ。
青年　そうです。彼女は髪に手をやって帽子の位置を直したのです。
医者　……。
青年　ぼくのことを好きになったからです。
医者　しかし、あなたのほうを一瞥もしなかったという点は？
青年　ですから、もう一度、さっきのすれち

がいの話を思い出してください。

医者　エート、なんでしたっけ。

青年　好きだからこそ見ないのです。

医者　そうでした、そうでした。

青年　見ないで、自分の最高のいい顔を見せたい。

彼女の最高のいい顔というのは実は横顔なんです。その横顔を好きな人に見せて立ち去っていきたい……。

医者　辻つまが合ってる。

母　ですからね、先生……。

医者　おかあさんは黙っていてください。もともとですね、こういう場所には第三者は入れないことになってるんですよ。わたしは一つ一つ言葉を選んで、一つ一つ手順を踏んで患者さんに質問してその反応を調べているんです。おかあさんが言葉をはさむと、それが意味をなさなくなってしまうんです。

母　……。

医者　エート。最初の通勤電車のところに話を戻しましょうか。あなたは、あなたのことを好きになった女の子三人を引きつれて、うしろから四輌目の車輌の、前から二番目のドアから乗りこんだ、と。

青年　いつも三人とは限らないんです。四人のときも五人のときもあります。

医者　とにかく乗りこんだと。

青年　乗りこんだあとは、乗客がいっぱいいますし、あとからあとから乗ってきますから、ぼくたちは当然はなればなれになってしまいます。

医者　すると、あなたの言うそういう現象は、乗りこむまでのことというわけですね。

青年　ちがうんです、先生。一度ばらばらになって行方知れずになった彼女たちは、ぼくがいよいよ降りる駅になると、再び次々に姿を現わして、再びぼくのあとをつけてくるんです。ここがポイントです、先生。

医者　ほう。そうなると話はにわかに信憑性をおびてくるなあ。

青年　でしょう。どう考えても、ぼくを追いかけてくるとしか考えられないんです。

母　ですからね、先生……。

医者　おかあさんは黙って。で、あなたが毎日乗車する駅というのはどこの駅ですか。

青年　ＪＲの三鷹駅です。
医者　で、どこの駅で降りるわけですか。
青年　東京駅です。
医者　終点というわけですね。
青年　そういうことです。
医者　三鷹駅で乗って東京駅で降りて、それからどう乗り換えるわけですか。
青年　いえ、乗り換えません。勤め先が東京駅の近くですから。
医者　八重洲口？　丸の内側？
青年　丸の内側です。丸の内側の改札口を出て、ふとふり返ると、やはり彼女たちはぼくのあとをつけてくるのです。
医者　………。
青年　それが毎日毎日なのです。
医者　………。
青年　ぼくの勤め先は新丸ビルの中にあるんですが、ぼくがその中に入っていくと、彼女たちもぼくのあとをつけて入ってくるのです。それが毎日毎日のことなのです。
医者　………。
母　でしょう、先生。

青年　ぼくはもういいかげんにしてほしいんです。ですから、そろそろ彼女たちに、もうやめてくれるように、言おうかと思ってるんですが、そういうのってどうなんでしょうか、先生。

母　どうしたらいいんでしょうか、先生。

グルメ姫ライター大いに語る

東海林　お二人は文春文庫の「B級グルメシリーズ」の常連ライターであるわけですが、あのシリーズはB級度が高いほど面白いですね。駅そばとか、ホカ弁とか。

下森真澄　誰でも食べてるもののほうが、やってても面白いですね。

柴口育子　私たちは自称肉体派（笑）、というと聞こえはいいんですけど。とにかく食べてみないと始まらないんですね。

東海林　予断を持たずに？

柴口　「資料で当たりをつけて、こういう展開で」って、あらかじめストーリーを考えていく人もいるみたいですが、私たちはローラー作戦。ガーッと食べ歩いているうちに何かが見えてくる。

東海林　それだと手間暇かかるでしょ。

下森　品川駅の立ち食いそばのときは一軒に四回通いました。

柴口　下森が立ち食いそばとか豚肉生姜焼きとか、チャーハンとか、B級の中でもハードな部分を受け持っているんです。

東海林　品川駅の立ち食いそば地帯はNHKでも特集組んだし、全国的にも有名なんですよね。

下森　やっぱりピーク時を見たいじゃないですか。ストップウォッチ持ってって計るわけです。客が「たぬき」って言うとストップウォッチをサッと押す。出てくるのに二十秒かからないんですね。十何秒だったかしら。惚れるわけですよ。「わあ、いいなあ、職人芸」って。

東海林　またおばちゃんたちが元気でね。テキパキしてて見ていて気持ちがいいの。でもおばちゃんたちにしてみれば不審な客ですよね。ストップウォッチ持ってたり。

下森　客のすいたころを見計らって、「実は」って話を切り出すわけですが、そうすると、横に並んでいた客の全員が、そばをくわえたままこっちを見る（笑）。

東海林　どうも怪しいと思ってたら、やっぱり……（笑）。

柴口　最初はまず覆面取材で行って、ふつうのお客さんのふりして食べて、いろいろメモなんかして、いくつか集まったところで、「ここと、ここ」っていうことになって、別の日のすいていそうな時間を見計らって行って「実は」になるんですが……。

東海林　駅そばの場合は覆面からただちに「実は」に移行する（笑）。

下森　八王子だったか立川だったか、あのへんなんですが、乗り換えのホームに、こんなワラジみたいにでっかくて、麺が見えないようなサツマ揚げが載ってるそばがあるから取材に行ってこいって言われて、駅のホームでそば屋のおばちゃんにいきなり声かけて、「このサツマ揚げはどういうとこで作ってんですか」って訊いたら、「そんなもん、どこだっていいじゃないの」って言われたことあります。

東海林　おばちゃんにしてみればそうだろうなあ（笑）。

下森　私、いろいろ研究したんですけど、おばちゃんの人情が手元に出るのがワカメそばだと思うんですよ。

柴口　え？　どういうふうに？

下森　ワカメをチラッと散らしたときに「あ、ちょっと少ないかな」って、ちょっと足したりとかするでしょ。そこにおばちゃんの人情が出る。

東海林　そうか。コロッケとかは、足したりできないから人情の出しようがない。

それから、あの、立ち食いそばって、取材してメモがしづらいってことないですか？　箸持ってるし、立ってるし、ストップウォッチは持ってるし（笑）。

下森　メモは苦労の種なんですよね。

柴口　立ち食いに限らずね。

東海林　ぼくは覆面取材専門なんで、バレないようにテーブルの下でコソコソメモしたり、店の人が横を通るとビクッとしたり。

柴口　箸袋に何気なくメモして、それを忘れて帰ったりしたことあります。

東海林　あとで、店の人がそれを読んで「なんだったんだ、あいつは」ってことに。

下森　ナプキンに書いたりして、やっぱり忘れて帰ったりとかね。

東海林　そば屋で相席なんてときはメモしづらいでしょ。だから、わざと手帳をテーブルの上に出して「エート、あしたのスケジュールは」なんて声に出してメモしたりとか。メニューの値段表を書き写してたりしたら、もう絶対怪しい客だよね。

柴口　だから友達をつれて行くのが一番有効ですね。

東海林　だけど「とても役立って助かった」ってこと、少ないでしょ。

下森　ただの大食いだった、とかね。

柴口　そうそう。奢《おご》ってあげるからってつれてって、だけど取材だよって充分言いきかせておいて、あれもこれも食べさせて、「さっきの皿の、この辺に載ってたのピクルスだっけ」って訊いても、「えーっ、覚えてなあい」（笑）。

東海林　いくら取材だからって言いきかせてつれてっても、自分の役割を自覚しない人って多いよねー。

柴口　「どうだった？　さっきの魚の味付け」「とてもおいしかった」（笑）。

下森　きょうは三軒つきあってよって約束して出かけたのに、一軒で「もう、おなかいっぱい」（笑）。

東海林　アシスタントとしての心構えを教えるところがあるといいね。食べ物取材の。

下森　きっと需要ありますよ。

柴口　いっそプロダクションにしてね。北海道の取材っていうと「A君が北海道出身だよ」とかね。各県、出身別、B級グルメ白薔薇編とかね（笑）。

東海林　何ですか、白薔薇って。

柴口　知りません？　銀座のクラブ「白薔薇」。出身県別のホステスさんがいるっていう。

東海林　こっちは食べてくれさえすればいいわけだから「容貌は問いません」。

下森　そのうち欲が出てくる（笑）。「大食いの美人」とか（笑）。

東海林　そうそう、大食いってのは絶対の条件だね。

下森　一人だといくらも食べられないから取材の効率がわるくて。残せばいいんだけど。
東海林　テレビのグルメ番組でも、ラーメンなんか、あれ絶対残してますね。
下森　ラーメンなんか、何軒も取材したいときは、急に「あ、歯が痛くなった」って残して逃げろって言われたことあります。
柴口　あと、突然、「あ、いけね」って時計見て、「忘れてた」って、聞かれもしないことを一人で言って逃げるんだって教えてくれた人いますけど。できませんよね、そんなこと。
東海林　でも「いくら残してもいい」ってことになったら、取材はラクだよね。一晩で五、六軒はラクに取材できる。
下森　でも、若い子ってけっこう残してますよね。カレーなんか、ダイエットしてる子はルーだけ食べてゴハン全部残す子たくさんいますもん。
東海林　店のほうも、若い子じゃしょうがないってことあるかもしれませんね。
下森　え？　若い子って何歳までですか（笑）。
東海林　丼物は逃げやすいよね。うんと残しても、フタして逃げちゃえばもうわからない。あとで店の人がフタ開けて「逃げられた」って地団駄踏む（笑）。そういえば、「B級グルメシリーズ」でも、丼物の取材はずいぶんありましたよね。
下森　「五大丼、三大ライス」ってのがありました。

柴口　あれで私、親子丼やったんですけど、親子丼はわりにラクでしたね。

東海林　カツ丼なんかよりはラクでしょうね。どこのが一番おいしかったですか。

柴口　エート、あれは上野の鳥料理の店の「鳥つね自然洞」ってとこの親子丼。

東海林　ふつうの親子丼ですか。

柴口　一見ふつうなんですけど、米はどこそこから、鶏もどこそこ、卵が兵庫のどこそこで、醤油も味醂も特別のもので、お米を炊く水もナントカ酒造から分けてもらったものでっていう大変な親子丼で……。

東海林　昔、山本嘉次郎っていう人が、日本で最高の親子丼を作ったみたいな……。

柴口　ええ。それを地でやってる店なんです。

東海林　さぞかし高い親子丼で？

柴口　ええとね、それがたしか一五〇〇円だった。

東海林　ヘエー。それはぜひ一度食べてみる価値がありそうだな。

柴口　そこの親子丼か、あとは虎ノ門のそば屋の「巴町砂場」の親子丼か、どっちかってとこかしら。

東海林　人形町の「玉ひで」の親子丼はどうですか。正直に言ってくださいね。

柴口　あそこのは正直に言うと、甘すぎるんですけど、ところがおやじさんがすごくいい人なんです。

下森　よくテレビに出てる？

柴口　そうそう。あれだけ取材されてるのに全然擦れてなくてね、すごく紳士的で、「甘いとも言われますが、これが東京の味なんですよ」って。「はあ、そうでございますか」ってことになるんですね。

東海林　「玉ひで」は、おやじさんは確かに誠実かもしれないけど、親子丼としてはツユのかけすぎでビショビショビショでしょ。丼の底までツユがたまって。

柴口　あたしビショビショ系が好きなんです。

東海林　なんか妙に「玉ひで」をかばうね。

下森　やっぱり甘すぎるわよね、あそこの親子丼。

柴口　だから小皿にシソの実がついてくるんですよね。合の手につまむシソの実で甘さがすくわれる。
東海林　やっぱりかばってるなあ（笑）。
下森　浅草の天丼がおいしいって言われてるんですけど、「大黒屋」とか……。
東海林　「大黒屋」行きました。天丼のエビ天が巨大だということで有名な店。メジャー持ってって計りました。
下森　メジャーって必携ですよね。
柴口　私もメジャー持ち歩いてます。何でも一応計ってみる。
下森　撮影のとき、たとえばうんと厚いカツだったりすると、これ一応計っておかなきゃって思っちゃいますね。
柴口　「直径二十一センチの丼に目一杯」とか書きたいじゃないですか。
東海林　「大黒屋」へは、ピッと伸びてシュルシュルって引っこむやつ持ってって計ったの。店の人の目を盗んで。ドキドキしながら。
下森　どうでした？
東海林　そしたらね、いろんなところで紹介されている写真から予測していた数字より、二センチぐらい小さかった。
下森　よくあるんです。そういうこと。
東海林　しかし、あの計るのって勇気要りますね。

柴口　ピッと引っぱって急いで計ってシュルシュル……。
東海林　早く引っこんでくれ（笑）。
柴口　計ってるとこ見つかったら、やっぱりへんなおばさんよね（笑）。
東海林　だから逆に、無邪気を装って、「アラ、このエビ天大きいわあ。何センチかしら」って、わざと大きい声で言って……。
下森　そこでメジャーを持ってるっていうのが（笑）。
東海林　そうか。ふつう持ってないよね。
柴口　絶対に持ってません。
東海林　B級シリーズというと、丼物、ライスもの、ラーメン、ギョウザ、あと何だろ。
柴口　銀座の郷土料理というのもありました。
東海林　銀座の郷土料理というと、B級というよりむしろ高級の部類になるんじゃないかな。
柴口　それがですね。たとえば、高級な刺身関係とかは取材しないでいいってウエからきっぱり言われました。そういうものは食べるなって。写真に撮ってどの店でも同じようなものは要らないって。
東海林　そうするとどういうものになるんだろ。
柴口　郷土料理って、刺身関係以外は結局煮物なんですね。

東海林　あ、そうか、煮っころがしとか煮つけとか。
柴口　連日郷土料理通いで身体がお醤油くさくなっちゃった。
下森　郷土料理の煮物って、結局、醤油、味醂、酒、ダシ汁でしょ。
東海林　要するに醤油攻めだ。身体にもよくないよね。
柴口　下森さんは、お粥の取材で胃をこわしたんですよ。
下森　お粥って胃にわるいんですよ。
東海林　え？　お粥って胃にいいんじゃないの。
下森　四か月ぐらい続いたんです、お粥が。四か月で六十軒。
東海林　四か月間毎日お粥？
下森　ほとんどお粥です。そうすると胃が働かなくなるんですね。

東海林　胃がさぼり始めるわけですか。

柴口　そのころは、私まだB級やってなかったからお粥のことあまり知らなくて、「お粥って胃にいいんでしょ」って言ったら、「私は吐きながら食べてるのよ」って。

下森　そのとき、お粥屋さんに言われましたよ。「痩せようと思ってお粥ばっかり食べてる人は必ず胃がやられます」って、二時間ぐらい説教されて（笑）。

東海林　でも結局のところ、胃が働かなくなって、吐いたりして痩せるわけでしょ。

下森　痩せました。

東海林　結局痩せたということに（笑）。

下森　でもそのあと、猛烈に固形物が食べたくなって、どんどん食べて太りました。

東海林　お粥で痩せてお粥で太った。

柴口　それから、ホラ、ホカ弁のときは日射病で倒れたのよね。

東海林　ナニナニ？　ホカ弁で日射病に？

下森　ホカ弁を買って、いちいち家に持って帰って食べると効率わるいでしょ。ホカ弁三大地帯っていうのがあって、新橋、神田、新宿西口がそうなんです。新橋、神田でいうと、日比谷公園に持ってって食べると都合がいいわけですよ。その日はすごく暑い日で、日なたのベンチでいくつもいくつもホカ弁食べているうちに倒れた（笑）。

柴口　食べてると周りが嬉しそうなんですよね、あそこ。ホームレスとかいっぱいいて。

下森　週に三回ぐらい行ってたかな、あのころ。

柴口　全部食べないでほとんど残していくから……。

下森　行くと寄ってくる。

東海林　ハトみたいなもんだね。

下森　お粥で倒れて、ホカ弁で倒れて。

東海林　吐いたり、倒れたり。

柴口　でも、そのホカ弁の本が出たあと、ホカ弁屋さんから「先生」って言われるようになったのよね（笑）。

下森　ホカ弁の本が出たら、そこに出てるホカ弁屋さんに、NHKから三百食の注文がドーンと来て……。

柴口　いきなりホカ弁の先生になっちゃった（笑）。

東海林　そのうち講演を頼まれるようになる。ホカ弁界にこの人あり。でも、ホカ弁もそうだけど、B級ものってカロリーが高いものが多くないですか。

柴口　でも、大体、三日続けてそういうもの食べて四日目に倒れて、二日寝こむと、体重って元に戻りますよ。

東海林　ナニナニ？　すると二日間は何も食べないわけ。

柴口　三日で一・五キロ太って、二日何も食べないと一・五キロ戻るんです。
東海林　しかし壮絶だなあ。B級やってて、A級へのあこがれってないですか。
下森　転身ね。急にフランス料理とか。いまさらいやだなあ。
東海林　服装とかも全部変わっちゃって。
下森　そうそう。シャネルスーツなんか着てね。ホラ「料理の鉄人」に出てくるあのおばさんみたいに、「あら、これはなかなかお味がしみてておいしゅうございますわね」とか言って。
東海林　そりゃあ、料理すればお味はしみるって。
下森　ラクでいいですよねえ。あれでキャリア五十年とか言ってるんでしょ。
柴口　不愉快だなあ。一度でも食べ物で汗を流したことがあんのかー。
下森　一度でも倒れたことがあるのか。
東海林　吐いたことがあんのかー。
下森　一日に五食食ったことがあんのかーっ。
東海林　どうなんだー。やいっ。

ゲイバーの中のおばさんたち

「一度ゲイバーというところへ行ってみたい」

と思っている女の人は多い。

そういう女の人って、ホラ、あれでしょ、OLとか、そういう若い子たちが、好奇心で行ってみたいっていう、そういうアレでしょ、なんて解説してみせる人は多い。

そうじゃないんですね。

今や、おばあさんだって、ゲイバーというところへ一度行ってみたいと思っているのだ。

そういうおばあさんて、ホラ、あれでしょ、都会の山の手？　の、昔でいう有閑マダム？　とか、ホラ、有名料亭？　の昼懐石コース？　とかを食べ歩くおばさんグループ？　とかが、最近テレビによく出てくるニューハーフ？　とかゲイバーのママ？　な

んかの悪ふざけを見て、一度ああいうとこも押さえておきたいわね、かなんかで行ってみたいっていう、そういうアレでしょ、なんて、最近はやりの〝尻あがり口調〟? で解説してみせる人も多い。

そうじゃないんですね。

こんどの取材でもわかったことなのだが、たとえば千葉県の九十九里あたりの海辺で、陽にやけた顔に手ぬぐいの頬かむり、頭には麦わら帽子という格好でアジの開き干しなんかを引っくり返しているようなおばさんだって、

「一度ゲイバーというところへ行ってみたいっちゃ」

なんて思っているらしいのだ。

今回取材に行ったゲイバーに、実際にいるのを発見したのだ、アジの開き干し夫人が。

ひと昔前だったら、おカマは、

「気味がわるいっちゃ」

なんて眉をしかめていたはずのアジの開き夫人が、おカマショーの最前列にすわって、ゲイの一夜を堪能していたのだ。

アジの開き夫人といえども女の勘が働くんですね、

「ああいうとこは、きっとわたしらをも楽しませてくれるにちがいない」って。

テレビによって目覚めさせられたらしいのだ、世の中にはああいう世界もあるってことを。

しかも、とても楽しそうな世界だってことを。

では、目覚めたバアチャンたちはどうしたらいいのか。

どういうツテをたどってそういう店に行けばいいのか。店はどこにあるのか。

料金はいくらぐらいするのか。

ボラれたりすることはないのだろうか。

おカマという人種は、老婆という人種をどのように位置づけてくれているのか。

実際男だって、いざおカマバーに行ってみようと思ったらかなり逡巡するにちがいない。

需要あるところに供給あり。

そういう需要を業者が見逃すはずがない。

業者とはどこか。

そうです、ハトバスなのです。

ハトバスには、現在、そっち方面のコースが四つ用意されている。

もちろん、こういう方面のシロートを、いきなり濃度の高い店につれて行くわけにはいかない。

いきなり専門家コースにつれて行ったのでは、専門家のほうも迷惑する。

そこで「ニューハーフショー」というような、濃度の低い店につれて行くことになる。

——素敵なディナーと摩訶不思議な異次元の夜。赤坂と六本木の競演——「夜と赤坂とニューハーフの『金色』」

——洗練の赤坂、笑激の新宿。ジキルとハイドの二つの夜を体験する——「黒鳥の湖とホテルニューオータニ」

——銀座でディナーの夜に繰り出す超パロディの世界——「興味身心『アルカザール』」

などがあって、これらのコースは目下いずれも大人気らしい。

「日曜日を除く毎日出発」なのだが、一週間前にはすべて売り切れという大盛況なのだ。

いずれのコースにも「十八歳未満はご遠慮下さい」の但し書きがあって、参加しようとする者の期待をそそる。

一体どういう人たちがこういうハトバスコースを満員にしているのか。

興味津々。

「興味身心アルカザール」のコースに乗ってみると、やっぱりというか、あにはからんやというか、バスの中はおばさんたちで満員なのであった。

三十六名中男性はぼくを含めてたったの五人。

あとは、昼懐石コースめぐりグループ？　とか、パート仲間グループ？　とか、たまにはみんなで会いましょうよ、の、同窓会グループ？　とか、子供のＰＴＡ同士グループ？　などの、四、六名というグループが圧倒的に多い。

そのほかは、あきらかに母と娘、というのが一組と、カップルが一組。

ぼくのほかの四名の男性は、定年退職？　の熟年夫婦？　と会社関係男女グループ六名の中の二名のネクタイの中年のおっさん。

パート仲間グループ？　はともかく、ＰＴＡグループ？　は服装も地味、言動も地味、顔つきも沈痛で、なぜ今夜このような行動に出てしまったのか、そのいきさつをぜひ知りたい、と思うような一行なのであった。

それぞれの夫たちには、今宵のこの行動を何と説明して出てきたのであろうか。

とにもかくにも、とりあえず銀座東急ホテルで「ステーキディナー」ということになる。

このコースの料金は、九四一〇円だ。

それぞれの夫たちに、いくらの料金と言って出てきたのだろうか。

ドリンク類は別料金だが、一行の全員が、ビールやカンパリソーダを注文する。

このころ、それぞれの夫たちは、どこでいくらの酒を飲んでいるのだろうか。

食事時間は五時半から六時半までの一時間だが、三十分もたつとどのテーブルも、アルコールのせいかかなりにぎやかになった。

ピンサロに行く前に、居酒屋に寄ってイキオイをつける、というのと少し似ているような気がしないでもない。

これはどうでもいいことなのだが、わが一行の唯一のカップルは、二人とも大ジョッキを飲んで酔ったのか、人目もはばからず「イヤーン・バカーン」などの古典的表現で大いにイチャつくのであった。

これまたどうでもいいことなのであるが、女の人も四十も過ぎると、食事のあと、シーハのヨージをつかうということがわかった。

イキオイづいて頰を染めた一行は、再びバスに乗りこんで夜の歌舞伎町に向かう。

妙齢のご婦人たちの常で、バスに乗りこむ前には先を争ってトイレに向かうのであった。

午後七時十分、バスは靖国通りに到着。

店の前には大型バスが止められないので、ここで降りて人混みの中をゾロゾロ歩いて歌舞伎町に向かう。

ガイド嬢は旗こそ持ってないが、もし持っているとすれば、その旗には、

「ゲイバー遊び御一行様」

と書かれてあるにちがいない。

もしこの人混みの中で、例のＰＴＡ？　の一団の人たちが、バッタリ夫に会ったらどういうことになるのか。

そのとき夫はどういう態度をとるのだろうか。

「アルカザール」は、ゲイバーというより小劇場の観を呈していた。

店の中央に二十畳ほどのちゃんとした舞台がしつらえてあり、それを取り囲むようにして百五十席ほどのテーブル席がある。

店内はすでに満員で、その九割八分が女性客であった。

そして、その九割八分の女性のうちの九割が、中年以上のオバチャンなのであった。

われわれ三十六名の団体のほかにも、十五名、二十名という団体が多いようで、その中に三、四名で来たらしいＯＬグループ？　が混ざる。

それにしても男性客は目立つ。

われわれ一行五名のほかに、あっちに一人、こっちに一人、何回数えても四人しかいない。百五十名中九人という比率だ。

どうもエライことになった。

われわれのテーブルの上には、ウィスキーのビン、水、氷、乾きもののおつまみが出ていて、これは飲み放題だという。

店のシステムはこうだ。

ショータイムは七時半からと八時半からの二回ある。

お一人様で来た客の料金は四千円で、その内訳はショータイムにチャージが三千円。ドリンク一杯とフード一皿が各五百円ずつ。

場内を見回してみよう。

店の造りは全体に黒で統一されていて、何となくテレビのスタジオ風だ。

われわれハトバスの席は、舞台から少し離れたちょうどまん中あたりで、この店の中では最大の派閥を誇っている。

われわれの左隣は、「ヨミウリ」と呼ばれている団体で、その数およそ十名。これは全員三十代以上の女性で、全員すでにかなり酒がまわっていて、ロレツの怪しい女性さえいる。

そういう言い方はよくないかもしれないが、服装、言動にサイタマ的雰囲気がある。

そういうサイタマ的一行の中でただ一人、細めのスラックスに白いレースのブラウスのエリをピッと立て、そこに黒くて大きいリボンをつけ、黒くて短めのベストをはおったレズビアンスタイル？　のご婦人がいた。

店のニューハーフ的雰囲気、ゲイ、おカマ的雰囲気に対抗した、とも言えるし、合わせた、とも言えるし、勘ちがいした、とも言えるし、わけがわからん、とも言えるような服装であったが、彼女は彼女なりにその服装にかなりの自信があるらしく、自信たっぷりに足を組んでウィスキーの水わりを気取って飲んでいるのだった。

そうしてですね、いたんです、舞台に向かって左手の最前列に、あのアジの開き干し夫人が。

六十歳ちょうど、というトシのころで、四人のお友だちといっしょに来たらしく、そのお友だちもみんなアジ的雰囲気をただよわせている。

四人とも、この一夜を楽しもう、というふうではなく、かといって、緊張してかしこまっている、というふうでもなく、かといってつまらなそうでもなく、いやあ自然体か、というとそうでもなく、ただひたすら無表情で、解釈にとても困るオバチャンたちなのである。

服装は、ついさっきまで海辺でアジを干していたのを、急に中止してそのままやって来ました、というような感じだ。

右側に目を移そう。

これは八名ほどの三十代から四十代の中年婦人の団体で、全員ずうっと無言だ。

謹厳、実直、かつ学術的な雰囲気のある人々で、この一行に旗を持たせるなら、「自然と大地を守る会御一行様」、あるいは、「地球と命を考える会御一行様」というのが似合うようなまじめな人々のようで、いやあ、なぜそういう人たちがこういうおカマバーにいるのか、と言われるととても困るような、いや実際の話、まわりの人が本当に困ってしまうような御一行様なのであった。

舞台の右手最前列には、何人で来たのかはわからないが、フチなしメガネにシャネルのスーツの上品な感じの医師令夫人？　が陣取っていて、ショーの開始を待っている。

その表情には、ややけしからん、というよ

うなところがあり、ややけしからんが、やや興味深い、というようなところもあるのだった。

無料の乾きもの以外の、有料のツマミにはどんなものがあるかというと、中華ちまき、カタヤキソバ、ゴマ団子、中華サラダなどで、この一連のおツマミが、この店の雰囲気の一端を物語っているような気がしないでもない。

七時半。

「まもなく、ショーが開始されます」という挨拶があると、ああ、またしても、妙齢のご婦人たちの常、その常が、またしてもゾロゾロとある一定の場所へ向かわせるのだった。

一座の花形らしいユークンと呼ばれる青年が、開会の辞らしいものを述べる。

「ゴメンナサイネ、あたし、カゼひいちゃって、こんな声で」

すかさず客席から、

「ハダカで寝たんでしょ」

という掛け声がかかる。

掛け声の主は、サイタマのロレッ夫人のようだ。

ユークンは声の主にすぐ気づき、

「あら、そちら、ヨミウリでしたわよね。何回目? え? 三回目? ありがと」

と応じる。

そうなのだ。常連の客が多いのだ。

ぼくらの右手、壁際に陣取った(テーブルを離れて立っている)OL風の三人づれは、舞台の踊り子たちの中にフンドシ姿のトオル君を見つけ、

「あ、トオル君だ。トオル君、トオルクーン」と声をかける。

トオル君は舞台の上からOLたちに手をあげ片目をつぶってみせる。

ウーム、大体わかってきたぞ。

そういう世界であったのか。

ホラ、あれです、宝塚の世界。

あの世界の舞台と客席のやりとりを想像してください。あれとそっくりの世界ではないか。

なに違う？　フンドシの部分が違う？　舞台にあがるゲイ人の総数は二十名ほどで、入れかわり立ちかわり、テンポよく、寸劇風、レビューショー風、ミュージカル風、股旅三度笠風、ストリップショー風、ヒワイ風のやりとりなどを演じ、そのあいま、あいまに客を〝いびる〟。

客席への直接サービスもある。

客席のオバチャンのヒザにフンドシ姿のますわったりする。オバチャンはキャーキャー言って喜び、「ヤダヨー、マッタク」などと言ってまっ赤になって喜ぶ。

悲劇はそうしたサービスの中で起こった。

最前列の、あのアジの開き夫人の前に、フンドシ姿のサトシ君がおおいかぶさるように立ったのである。

アジ夫人の顔のところに、サトシ君のモッ

コリが位置している。

アジ夫人は真面目に恥じらう。真剣に恥じらう。

真面目に身をよじってモッコリを避ける。だがサトシ君のモッコリの位置は動かない。アジ夫人の真面目な恥じらいは客席に大いに受けた。

その真面目な表情からは、アジ夫人がこのサービスをよろこんでいるのか、非常に困惑しているのかはわからなかった。

この一夜が、彼女にとって、思い出深い素晴らしい一夜だったのか、悲劇の一夜だったのかは、本人以外の誰にもわからない。

数少ない男性客も、当然いびりの対象になった。舞台に近いところにいた、ネクタイ姿の実直そうなおとうさんはユークンの集中攻撃を受けた。

ヒザの上に腰かけられ、肩を抱かれ、頬をすり寄せられ、そのままの姿勢で数十秒を堪えさせられた。

その間のおとうさんの、真剣な困惑が大いに受けた。

困惑と焦燥と憮然を何回も繰り返しても、ユークンの攻撃は終わらないのであった。

なにしろ男性客の数は少ないのだ。

（次にぼくのところへ来たら困るな）

と思った。

はたして、彼はそのあとすぐにぼくのところへやってきた。

近づいてくるやいなや、ぼくの頬っぺたにチュッとキスをし、それから左の乳くびを指先でサッと揉むと、すぐに立ち去っていった。

彼の指先は、シャツの上からぼくの乳くびを正確にとらえ、確実につまんで揉んだ。

瞬時の揉み方にプロを感じた。

感じるものがあったのである。

さっきのネクタイのおとうさんのときの念入りと比べると、あまりに一瞬であった。

その行動はあまりにおざなりで、愛情というものが少しも感じられなかった。

寂しい思いであった。

人はこうして、アブナイ道への一歩を歩み出すのであろうか。

なんとなくクラシテル

「このサンマはどこで獲れたものかね」

雄一は朝食の食卓で妻に訊いた。

この日は、なぜか朝食にサンマの塩焼きが出た。

「さあ」

妻の良江はいつものように気のない返事をした。

「そこのスーパーで買ったものだから」

そこのスーパーというのは、「スーパーダイエー西新井店」のことで、サンマは前日の閉店間際セールで五匹四百円で買ったものだ。

スーパーのパックサンマに産地の表示などしてあるはずがない。

(そんなこともわからんとか)

妻の良江は舌打ちしたい気持ちだった。

雄一もそのくらいのことは知っている。

だが夫婦二人きりの気づまりな朝食の、せめてもの話題としてわざと訊いたのだ。

いっぺんに五匹も買ってしまったので、早目にどんどん食べなければならない。

このサンマは、『強火で旨味を逃さずこんがりと裏表裏返す手間の要らない・両面交互焼き・ナショナルフィッシュロースター・NF～RT500・分割価格毎月五五〇〇×四回』で焼いたものだ。

このフィッシュロースターは、『煙とニオイを抑えるフィルター』がついている。

雄一がいま朝食を食べているのは、足立区西新井三の二の二、西新井団地の四号棟の三〇三号室だ。

団地で焼き魚をすると、そこらじゅうの部

屋の天井に煙がたなびき、そこらじゅうの部屋が魚くさくなる。

団地で焼き魚をするには、『煙とニオイを抑えるフィルター』は必需品だ。

朝食のおかずは、サンマ一匹と『岩下の新生姜・新物あさ漬風・二九八円』だけだ。

ゴハンは『玄関あけたら二分でゴハン』の『サトウのゴハン・ガス直火炊き無菌パック二〇〇g・一五八円』を電子レンジでチンしたものだ。

チンしたパックからゴハン茶碗にあけかえてあるのだが、パック容器から出したときの板状のまま、よくほぐさずに盛ってあるので、盛ってある、というより、折りたたんである、というような盛り方になっている。

朝からサンマは胃に重い。

雄一はサンマのおなかあたりを少しつついただけで、食卓の隅にあった『味ひとすじ・永谷園・おとなのふりかけ・生のり・新鮮風味・さけ三袋入り・一二八円』のうちの一袋を取り出し、それを折りたたみめしにかけて食べることにした。

雄一はカシャカシャとふりかけの小袋を振る。

こうしないと、『鮭鱒・乳糖・海苔（もみ海苔・凍結乾燥生海苔）・調味料（アミノ酸等）・食塩・鮭エキス・小麦粉・澱粉・植物油脂・砂糖・着色料（紅麹・アナトー・赤ビート）・乳化剤・酸化防止剤（ビタミンE）・その他』などが、よく攪拌《かくはん》されずに出てくることになる。

ひと振りで、海苔ばかり出てきたり、顆粒ばかりが出てきたりすることがよくあるのだ。ふりかけのかかったふりかけめしをモシャモシャと食べる。

口の中がカサカサするので、『生みそ仕立て・米みそ・貝エキス・かつおエキス・酒精・調味料（アミノ酸等）・具（殻付きしじみ）・九八円』のインスタント味噌汁を一口すすった。

これはカップ入りのインスタント味噌汁で、妻の良江が、『タイガー・PE1〜二二〇〇ATW・容量二ℓ・色別・白色・一五五〇〇円』の電気ポットをブシュブシュブシュと三回押して『熱湯二分』で出来あがったものだ。これも一応お椀にあけてある。

この味噌汁は、死んでいるはずの殻付きしじみが、熱湯二分ののち、いっせいに口を開けるところがなんだか不憫だ。

最近はインスタントの味噌汁は『生味噌仕立て』が多いが、これは粉末ものとちがって熱湯をそそいでもぬるく仕上がるのが欠点だ。

そういえば雄一は、最近、家庭でも外でも、思わずフーフー吹くような熱い味噌汁を飲んだことがない。

食卓のそばのテレビは、10チャンネルに合わされていて、「新やじうまワイド」が映し出されている。

妻の良江がこの番組の司会者の吉沢一彦のファンで、朝のテレビはいつも10チャンネルに固定されている。

妻の良江『熊本県立南西学園高校卒・身長一五六センチ・体重六〇キロ・小太り仕立て・色別・浅黒・着色料（頭髪部）ビゲンヘアマニキュアジェル・ダークブラウン（しらが用ソフトカラー）・九五〇円・趣味・食べ歩き等・年齢五十一歳』は、ダイエットをしているとかで朝食はめったに食べない。

お茶をすすっては、ときどき『岩下の新生姜』をポリポリとかじっている。

良江の頭頂部は、『ビゲン』で染めてからだいぶたっているらしく、根元のところが五ミリほどいっせいに白くなっている。

雄一はこういう〝白い茎〟のオバサンを街でもよく見かける。見かけるたびに、みっ

ともないな、と思う。

だが妻の良江に、そのことを注意したことは一度もない。白い茎が一センチにもなったことがあるが、それでも注意はしなかった。

雄一は最近、鼻毛の八割がしらがになった。しらがの鼻毛が一本、ときどきはみ出していることがある。

妻の良江はそれを見ても注意したことはない。白い鼻毛が一センチもはみ出していることがあったが、それでも注意はしなかった。

「新やじうまワイド」は、宮沢りえの激やせ問題を論じあっている。

雄一は宮沢問題には関心がないので、『明治二十五年三月八日・第三種郵便物認可・定価（消費税込み）一か月三八五〇円』の毎日新聞の朝刊を拡げた。

拡げると同時に、右手を伸ばして、『長さ

65㎜・少し長めですからお料理にも便利に使えます・コシが強くニオイの少ない白樺を使いました・本数約三四〇本・日本製・白樺楊枝・一〇〇円』のプラスチックの丸い容器を引き寄せた。

新聞を読みつつ歯をほじる、というのが雄一の朝の憩いのひとときだ。

雄一はいま五十二歳。歯と歯のスキマは年ごとに拡がりつつある。

食べ物がはさまる場所は決まっている。

定例の場所に定例のものがはさまる。

きょうの定例は『岩下の新生姜』だ。

定例の場所は、右下奥から二番目と三番目の間、左上奥から三番目と四番目の間だ。

右下奥は比較的簡単に夾雑物を撤去できるが、左上奥は手強い。

ここにはさまったものの撤去には、毎度三本の楊枝を必要とする。

だが、きょうの『岩下の新生姜』は特に手強かった。三本では足りず、四本を必要とした。

一本約二十九銭の楊枝といえども、新しいもう一本を取り出すときには心が痛む。

きょうは楊枝代だけで一円十八銭もかかってしまった。

右手の楊枝で左上奥の歯と歯の間の夾雑物を取ろうと、上目づかいになってもがいている夫を、妻の良江は冷ややかに見ていた。

(早く決着つけんとか、このウスノロ)

妻の良江は朝食は食べないが、一応夫の朝食にはつきあう。

つきあってはいるが、この夫との朝食が一刻も早く終ればいいといつも思っている。

一刻も早く歯をほじり終え、一刻も早く会社に行って欲しい。

特にきょうは、これからデパートに出かける予定なのだ。

きょうはこれから嫁に行った長女さやかと三越デパートで待ち合わせ、いっしょに昼食を食べる予定なのだ。

この団地から日本橋の三越デパートまで地下鉄一本で行ける。

三越デパート四階の大食堂で、良江が「松花堂弁当」(一五〇〇円)、さやかが「洋風ランチ」(一五〇〇円)、孫の健太が「お子様ランチ」(八〇〇円)を食べるのを常としている。

「松花堂弁当」は、さしみ、天ぷら、大きな豚の角煮に野菜の煮物に玉子豆腐がついて一五〇〇円。

新聞半分ほどの大きなお盆一杯に展開するたくさんの料理を目の前にするたびに、

「こおーんなについてて一五〇〇円！」

と、良江はいつも同じことを言ってニッコリする。

洋風ランチはフライ物が中心で、エビフライ、ホタテフライ、コロッケにかなり大き

な豚肉のソテーがつき、さらにマカロニグラタンの皿、ババロアの小皿がつく。

これまた長女さやかの大のお気に入りだ。

孫と娘と三人で、顔を見合わせては、エビの天ぷらに天つゆをつけて口に入れ、（いつもの、あの夫との朝食と比べて、なんでこんなに楽しいんだろう）と良江はいつも思う。

「いつか、この上の六階の『特別食堂』で三人でお食事しようね」

というのが三人の夢だ。

お勘定はわり勘ということになっているのだが、いざ払う段になると、いつも良江がお子様ランチの八百円を払ってくれる。

良江はイライラと時計を見、歯をほじっている夫を見る。

雄一はようやく新聞を置き、先の丸くなった『白樺楊枝』三本をテーブルの上に散らかしたままノッソリと立ちあがった。一本は口にくわえたままだ。

（やれやれ）

と良江は思う。

あとは洗面所に行って養毛剤を頭にふりかけ、髪をクシで整え、ネクタイをしめ直し、上着をはおって玄関に行き、赤くて長いプラスチックの靴ベラで黒い革靴をはいて出て行くだけだ。

雄一は立ちあがるとベランダに出た。

（おや）

と良江は思う。（話がちがうじゃないの）

ベランダに出た雄一はくわえた楊枝に手をやった。

赤トンボが低く飛んでいる。

三階から見ると、トンボは足の下を飛んでいく。

南南西の風、風力三、気温二十七度、湿度六十五％、気圧一〇一四ヘクトパスカル、という、典型的な秋の気象の中で、雄一はため息ともつかない息を小さく吐いた。

もうすっかり秋だ。

団地のはるか向こうの空に浮かんでいる淡いさざ波のような雲は、あれは巻雲の一種だ。

この雲が浮かぶと、二、三日後に天気が変わる。

中学のとき気象部にいた雄一は雲にくわしい。

（あさっての健太の幼稚園の運動会は大丈夫だろうか）

四号棟の前にあるイチョウの大木の葉が、黄色味をおびはじめている。

（そういえば、ことしはカナカナの声を一度も聞かなかったな）

そんなことを思いつつ、雄一は洗面所に向かった。

（やっと）

と妻の良江がそれを目で追いながらため息をつく。

洗面所の鏡の前に立つと、雄一はいつものように少しかがんで頭頂部を映し、それから意味もなくそのあたりをそっとなでる。

このところめっきり薄くなってはいたが、さらに一段と薄くなったような気がする。

なんだか心臓のあたりがドキリとする。

棚の上の、大切な、大切な『積極発毛！カロヤン・アポジカ・二〇〇㎖・医薬品・五〇〇〇円』の茶色いビンを取りあげた。

このアポジカは、会社のそばのセガミ薬局チェーンで四七八〇円で買ったものだ。

四七八〇円。

自分の小づかいで買ったものだ。

四七八〇円。

血の出るような出費である。

妻の良江に、これまで何回か『アポジカ』を買ってきてくれるように頼んだ。

だが良江は、その都度、忘れた、とか、なかった、とか言って買ってきてくれたためしがない。

家計費から、夫の養毛剤代を出すのが嫌なのだ。

暗に、（自分の小づかいで買え）と言っているのだ。

そのくせ、自分の『ビゲン』の代金は家計費から出している。

『ビゲン』に限らず、『（株）ファンケル化粧品』という通信販売の化粧品会社から大量の化粧品を取り寄せ、この代金も家計費から出しているのだ。

雄一は、本当は『薬用紫電改』を使いたいのだ。だが紫電改は六〇〇〇円もする。

しかも紫電改は、一円たりとも値引きしない。

雄一は『アポジカ』を四七八〇円で買っているが、会社の同僚の話では、新宿に『カロヤン・アポジカ・四六六〇円』という店があるそうだ。

その話をしていたら、別の同僚が、渋谷に『カロヤン・アポジカ・四四〇〇円』の店があるということを別の人から聞いたことがある、と教えてくれた。

こんど三人で、その店に買いに行こう、ということになっているのだが、まだ実現していない。

三人とも、第一志望は『薬用紫電改』なのだが、小づかいと値段のバランスで『アポジカ』で我慢しているのだ。

会社には、そういう『アポジカ層』がたくさんいる。

雄一は『カロヤン・アポジカ』のフタをとって、頭頂部の左から右に向かって、一滴ずつ、計四滴をふりかけた。

ふりかけて指でカシャカシャとこする。

『カロヤン・アポジカ』が頭の地肌にしみこんでいく。

左手に持ったビンに目をやる。

『成分・分量(一〇〇㎖中)塩化カルプロニューム1g・カシューチンキ3㎎・チクセツニンジンチンキ3㎎・パントテニールエチルエーテル1㎎・レーメントール0.3㎎』。

この中の、チクセツニンジンがなぜか心を打つ。

チクセツが頼もしい。

どんなものなのかはわからないが、なんだか効くような気がする。

能書には『毛母細胞をよみがえらせるチクセツニンジン・毛根、特に毛母細胞を刺激し、活性化する働きがあります』とある。

意外にあっさりとしか書いてない。

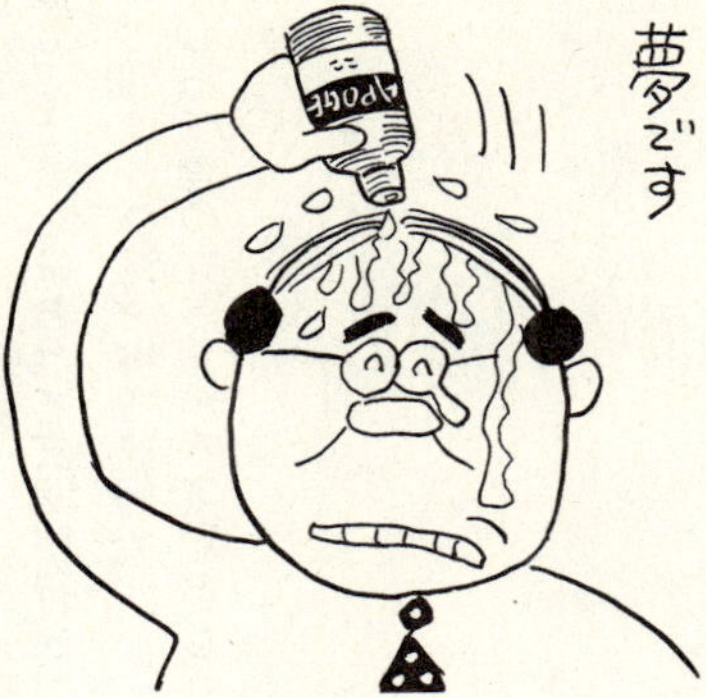

チクセツニンジンについて、もっともっと説明して欲しい。

もっともっと読みたい。

頭頂横一列のあとは頭頂から額に向かって縦一列に一滴ずつ四滴。

次に、頭頂の周辺をグルリと円形に一滴ずつ四滴。

全体を貫いているのは頭頂第一主義だ。

総計十六滴。

この数は一滴たりとも増やすことはない。

本当は、総計であと四滴増やしたいと思っているのだが、一日四滴増やすと一か月で実に一二〇滴増えることになる。

頭全体に十六滴振りかけたあと、いつも茶色いビンを透かして中の減り具合を見る。

残り少なくなっているときは心底悲しい。

雑誌の特集などで、よく「死ぬまでに一度

してみたいこと」というのがあり、いろんな人がいろんな「したいこと」を書いている。

雄一の「死ぬまでに一度してみたいこと」は、「養毛剤を一度たっぷり、頭頂周辺だけでなく頭全域に思う存分、心ゆくまで、額にたれてくるほど振りかけてみたい」だ。

頭頂周辺を指先で丹念にマッサージしたあと、クシで丁寧になでつけ、ネクタイをしめ直し、上着をはおって玄関に行き、赤くて長いプラスチックの靴ベラで黒い革靴をはき、玄関のドアをギイとあけた。

うしろで妻の立ちあがる気配がした。

プロ野球消化試合の実態

一九六という数字から、この話は始まる。

一九六名。つまり人数ですね。

一九六人という人数を、ざっと頭の中に思い浮かべてください。

この人数は、たとえばふつうの寿司屋の二階でやる宴会の人数としてはべらぼうに多いが、プロ野球の一試合の観客数としたらべらぼうに少ない。

そうなのです。

この人数は、ダイエー・近鉄の消化試合の、試合開始時の観客数なのです。

「観客わずか一九六人……」

九月二十七日のサンケイスポーツに、そういう見出しの記事が出ていたというのです。

それを教えてくれたのは、本誌のK中年記者だった。さっそくその記事をファックスで送ってもらうと……。

――観客わずか一九六人……――

王監督、生涯最大の屈辱!? といっても、今さら順位の話ではない。試合開始直後のスタンドを見上げてガク然。観客席に観客がいないのだ。

「………」

しかし、この一年ですっかり開き直りの達人となった王監督。担当記者を手分けして「いち、に、さん」と観客の〝実数発表〟に挑戦だ。

「一九六人か。ま、五位と六位の試合じゃしょうがないか」

もちろん、王監督の野球人生において、早実時代の高校野球以来のワースト記録だ。

これを読んだぼくはニンマリとなった。しめた、と思った。

ぼくはもともとこういう雰囲気が大好きなのだ。うらぶれ、たそがれ、あわれ、おちぶれ、やぶれ、さびれ、しなびれ、やつれ、などの、〝れもの〟になぜか大いに心惹かれる。うしろすがたのしぐれてゆくか

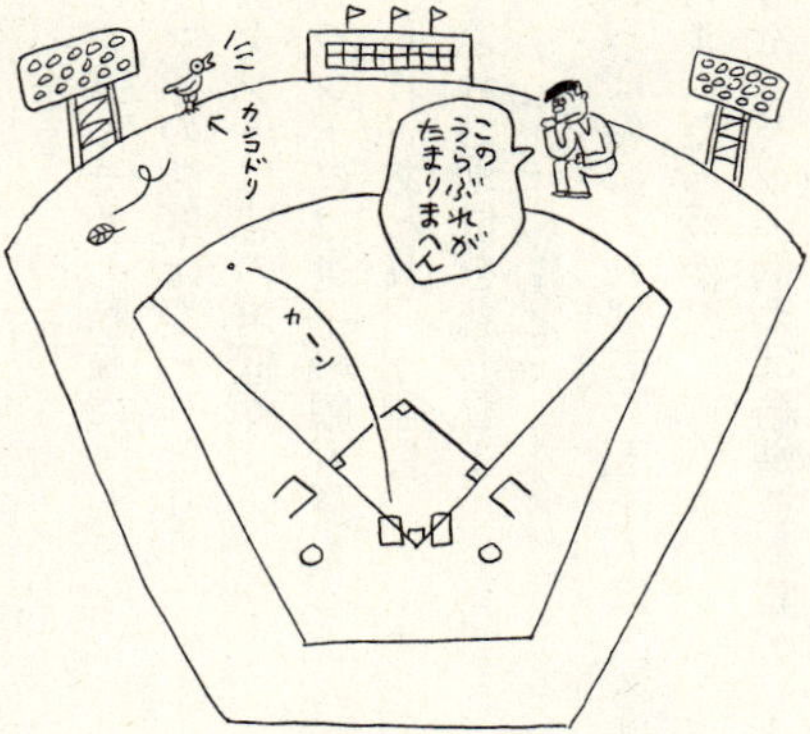

は、山頭火でしたっけ。

いいなあ、「しぐれてゆくか」なんて。

体質というのか、資質というのか、嗜好というのか、そういう〝れもの〟的雰囲気の中にいるとなぜか心がやすまる。

うらぶれたわびしさの中にいると、しみじみと心が落ちつく。

なんだかホッとする。自分が本来いるべきところにいるような気がする。

自虐趣味というんでしょうか。

自分が哀れだとなぜか嬉しい。

季節でいえば秋が好き。

ものみな亡びていくところがいい。

鳥でいえば閑古鳥が好き。

「観客数一九六……」

王さん閑古鳥の世界だ。

たそがれて閑古鳥の鳴くさびれた球場に、

あわれ、おちぶれてうらぶれた選手たちが、やつれた顔で力なくしなびれたバットを振っている。

スタンドに吹き渡る秋風……。

けさ立ちそめし秋風に
ファンの態度は変わりけり
スタンドに客の声低く
グランドには選手の顔も憂えるよ
あわれ、あわれ、王監督
やぶれし地位を悲しむよ

いっぱいに入れば三万五千人は入る球場に、たったの一九六人という数字は何に譬えたらよいだろうか。

うん、そう、例えば結婚披露宴。

三百五十名分用意した披露宴会場に、やってきたのはたったの二名。

比率からいうとそうなる。

三百五十人入る広々とした披露宴会場の、はるか向こうに一人、はるかあっちにポツ

ンともう一人。それっきり……。

その二名の招待客の前で、花嫁花婿、およびそれぞれの両親、および仲人夫妻、および親戚一同が、型どおりの式を進行させていくわけだ。

ウーム、これはたまらん。

こういう雰囲気は、思っただけで嬉しくてゾクゾクする。

そうだ、消化試合を見に行こう。

うらぶれた消化試合のスタンドに身を置いて、しみじみとおちぶれの悲哀を味わおう。

急いでK中年に電話をかけた。

「これから行われる消化試合で、一九六人以下になりそうなカードはないでしょうか」

「さっそく検討してみます」

「できたら、入場者数九名、なんてのがいいんですけど」

「いくらなんでもそれはないでしょう」

ふつう、野球の試合を見に行く場合は、なるべく面白くなりそうな白熱した試合を期待して見に行く。

イチローのようなスター選手がたくさん出て、優勝がかかっていて、誰かの記録もかかっていて、接戦で、しかし最後は大逆転で、というような試合を期待して見に行く。

だが、今回は、そういう試合は困るのだ。

そういう試合はみんなが見に行く。

たちまち観客数は何万ということになってしまう。

なにしろ九名がこちらの希望なのだ。

なるべくダラダラしそうな試合で、選手はみんなやる気がなくて、選手は知らない人ばかりで、ビールの売り子も元気がなくて、そのビールもなまぬるくて、泡も出なくて、うどんもなまぬるくて、ニッチャリとのびきっていて、その売り子も大変なブスで、ときどき雨が降ってきて、というような試合を期待して見に行こうというのだ。

それにしても、消化試合という言葉は、誰が発明していつごろから使われているのだろうか。

消化という言葉は、

〔生物が食べ物を吸収しやすいように変化させるはたらき。読書などで得た知識を十分理解して自分のものとすること。与えられた事物を残さず処理すること」とあって、もともと建設的、かつ健全な内容の言葉なのだ。

その健全な言葉に〝試合〟をくっつけると、とたんにマイナス、かつ不健全、かつふしだら、かつダラダラの言葉になってしまうのだ。

本来くっつけるべきものではない言葉をくっつけて、健全であった言葉をふしだらにしてしまった最初の人はエライ。

消化試合というのはまだ辞書には登場していない。

あえて登場させると、

〔優勝チームが決まったあとの、もうどうでもいい試合で、選手の誰もがやる気がなくて、退屈でダラダラして、スタンドの売り子もやる気がなくて、ビールやうどんもなまぬるい試合〕

というようなことになるのだろうか。

こういう試合は、ピッチャーの一球一球は消化のための投球であり、バッターの一振り一振りも、消化のためのスイングでしかない。

考えてみると、人生の後半、五十を過ぎたあたりからの人生も一種の消化試合といえる。

消化人生……。

消化人生も、まだ辞書には登場してないが、あえて登場させると、

〔先の見通しがすっかりついてしまったあとの、もうどうでもいい人生で、誰もがもうやる気がなくて、退屈でダラダラして、カーチャンのつくる味噌汁やうどんもなまぬるい人生〕

というようなことになるのだろうか。

「今シーズンの最終戦の一つ手前の、日ハム・西武戦というのはどうでしょう」

K中年から電話がかかってきた。

「この日は火曜日でウィークデーだし、ナイターだから寒いだろうし、両チームとも四位と五位でいまさらジタバタしてもしょうがないし、西武はともかく日ハムは人気がないし、試合はおもしろくないことだけは保証します」

「おもしろくない？　それはおもしろい」

十月三日。

JRの立川駅からタクシーで西武球場に向かう。

道がすいていれば、立川から三十分で行く。

タクシーが西武球場の近くまで来ると、向こうの森の上空が、球場の照明でパッと明

るくなっている。

「こういう消化試合でも、デンキ全部つけてやるんですかね」

とぼく。

「それはそうでしょう」

「なんかこう、薄暗いところでゴソゴソやってるのかと思った」

球場に到着。

球場の駐車場がガラガラだ。

「うん、これは大いに希望が持てますね」

「観客九名も夢ではないかもしれない」

球場の周囲に並んでいる選手グッズのショップには、シーズンも終わりのせいか、

「全品二割引き」

の紙がベタベタ貼ってある。

店の前には人影がない。

「いい雰囲気だぞ、こういうふうにうらぶれ

てくれなくちゃ」と思ったとたん、球場前の「西武球場前駅」に電車が到着して、人がゾロゾロ降りてきた。

ゾロゾロ、ゾロゾロ降りてきて、ゾロゾロ、ゾロゾロ球場に向かって行く。

数えるまでもなく、九名はとっくに突破している。

三十人や四十人じゃきかない。

五十人や六十人じゃきかない。

球場のほうから、ドンドコ、ドンドコ太鼓の音が聞こえてきた。

ラッパの音も高らかに鳴り響き始めた。

なんだか不吉な予感がする。

旗を持った団体客のような一団が通り過ぎて行った。

もう、ダメかもしれない。

しかし、ざっと球場のまわりを見渡した感じでは、まだまだ一九六人には及ばない。

とにかく入場券を買わなければならない。

西武側か日ハム側かで、客の入りはちがうはずだ。

日ハム側を買うことにした。

日ハム側のほうが、あわれ感、さびれ感は強いにちがいない。

入場券は、並ぶことなく瞬時に買えた。

Ｋ中年は、

「まわりがなるべくすいている席をください」

と切符の人に注文し、

「どこでもまわりは全部すいてます」

なんて言われている。

内野席は三二〇〇円もする。

いくらなんでも、これは高すぎはしないか。

スーパーマーケットなんかでも、閉店間際の値引きはあたりまえだ。

こういう店じまい直前の試合の切符は安くすべきではないのか。

「三二〇〇円」のところに太いマジックペンで線を引き、あらためて「一〇〇〇円」の文字を書き加えるべきではないのか。

プロ野球連盟は、特にパ・リーグ連盟は、この問題を早急に検討したほうがいい。

「三二〇〇円なら見に行かないが、一〇〇〇円なら行ってみっか」

という人はたくさんいるにちがいない。

あるいは、

「閉店間際大サービス、サンマ三匹五百円!!」

の例にならって、

「シーズン終了間際大サービス、三試合五百円!!」

というのだっていいと思う。

値引き交渉をしてもムダと思い、結局三二〇〇円で買ってしまったのだが、試合が終わってタクシーで帰るとき、車中、タクシーの運転手に、

「あんな試合、新聞屋がいくらでもタダでくれるよ」

と言われてしまった。くやしい。

ぼくらの買った切符は「Aの57」と「Aの58」だったが、そうした番号は何の意味ももたなかった。

ガラガラで、客はどこでも好きなところにすわれるのだ。

だが……。

すわって改めてスタンドを見渡すと、

「いる、いる」

ざっと眺めただけでも三〇〇人はいる。

「いやいや、五〇〇人はいるんじゃないですか」

とK中年が言う。

予想以上に観客はいたわけだが、それでも五〇〇人という数字は、〝三百五十人招待の結婚披露宴会場に客が五人〟という比率で、うらぶれ感は充分ある。

どういうわけか、五〇〇人の観客は一か所にかたまることなく、全スタンドに見事にまんべんなく散っている。

「とにかく生ビールを飲みましょう」

K中年がそう言って売り子を呼んだ。

売り子の少年は大きな返事をして、元気一杯走り寄ってくる。

どうもまずい。

ビールはよく冷えていて、泡もいっぱい立っている。

ますますまずい。

さっきの辞書は改訂しなくてはなるまい。

しかも、われわれがビールを飲んでいる間にも、観客数はどんどん増えて、ざっと一〇〇〇人になったようだ。

ますますまずい。

「そういえば、きょうの試合には、日ハムの田中の打点王争いがかかっていましたっけ」

K中年が不吉なことを言う。

この日の時点で、イチローと、ロッテの初芝の打点がともに80で、田中が79なのだそうだ。

「困るなあ。そういう争いは別のときにしてくれなくちゃ」

六時試合開始。

日ハムの広瀬という人がバッターボックスに立ち、西武の小野という人が第一球を投げた。

消化試合といえども、バッターはゴロを打つと、ちゃんと一塁へ走って行く。

けっこう一生懸命走って行く。

ゴロを捕った三塁手も、けっこうちゃんとしたボールを一塁に送り、バッターはちゃんとアウトになった。

ときどき、ファウルボールもちゃんとスタンドに飛びこんでくるし、係員のニイチャンも、ちゃんとピーピー笛を吹きながらボールを取りにちゃんと走ってくる。

けっこう、ちゃんとちゃんとの試合なのだ。

外野席の応援団はドンドコ、ドンドコ、絶えまなくタイコを鳴らしているし、二回の

裏に西武の森という人がホームランを打つと、夜空にドドーンと、ちゃんと花火があがった。

だが……。

かねて用意の双眼鏡で両軍のベンチをアップで見ると、選手たちの表情がうつろだ。ベンチから身をのり出している選手は一人もいない。

ホームランを打った森選手を、ベンチの選手たちが祝福して肩をたたいたが、そのたたき方がおざなりだった。

なんだかめんどうくさそうだった。

森選手もあんまり嬉しそうじゃなかった。

そこらあたりに、われわれのわずかな救いがあった。

この試合は、結局森のソロホームランと、六回の追加点一点の、二対〇で西武が勝った。

この試合は翌日の新聞（日刊スポーツ）に

次のように報道された。

——小野が日本ハムを4安打に完封。6四球と制球は荒れ気味だったが、要所はきっちり締めた。今季三度目の完封で7勝目。西武は二回、森の4号ソロで先制。六回は宮地が右前打した後、松井の左中間二塁打で一点を追加した。観衆七〇〇——

驚いてはいけません。観衆数は、年間指定席五〇〇〇ほどが、全部売れて全部客が入ったことにして、いいかげんな数字を発表するのが慣習なのだそうだ。

確かに年間指定席が〝売れている〟ことはまちがいないのだが……。

「観衆九名」の夢は、来シーズンに持ちこされることになった。

江川紹子かく語りき

東海林　きょうは江川さんがB級グルメだということをお聞きしたので、そのあたりのことからお伺いしたいと……。

江川　東海林さんは大変な健啖家でいらっしゃるとか。

東海林　最近は寄る年波で、もう、めっきり。お酒もお強いという噂もチラホラと……。

江川　たしなむ程度です（笑）。

東海林　吉野家なんかには行かれますか。

江川　最近は全然……。神奈川新聞にいたころはもう、しょっちゅう。夜遅くまで警察なんかにずーっといるわけですから。そうすると、あそこぐらいしか開いてないんですよ。泊まりのときとかは、牛丼を弁当にしてもらって、生姜をどっさり入れてもらうんです。

東海林　紅生姜ファンである、と。
江川　わたし、紅生姜ってけっこう好きで、トンコツラーメンなんかにも、汁がピンク色になるぐらい入れちゃうんです。
東海林　ラーメンはトンコツ系がお好きで？
江川　いや、わたしはトンコツでも東京ラーメンでもどっちでも。
東海林　荻窪のラーメン地帯は行ったことあります？
江川　いや。名前だけは少し。
東海林　「丸福」は？
江川　名前だけ知ってます。
東海林　「春木屋」は？
江川　知りません。
東海林　すると「丸福」どまりということに。
江川　何級ですか？　わたし（笑）。
東海林　吉野家の紅生姜をたくさん取るというあたりはB級度が高いけど。判定はまだまだ（笑）。
江川　最近「松屋」とか……。
東海林　おっ。牛丼の「松屋」を知ってるとは。

江川　「サブウェー」って知ってます？

東海林　おっ。反撃してきましたね。なんでしたっけ？

江川　サンドイッチとサラダの店なんですけど、まず、パンを選んでくださいっていうのね。白いのと黒いのと、長いのと短いのとあって……。具のほうはコンボとか照り焼きチキンとか。サラダのほうは野菜もいろいろあって、全部入れるか、とか、もっと増やすか、減らすかとか言われて、あと、マヨネーズとマスタードとどちらにするか、とか……。

東海林　息つくひまもない。

江川　質問につぐ質問ですよ。

東海林　裁判所みたいですね（笑）。

江川　初めて行ったときはびっくりしました。

東海林　立ち食いそば関係はどうですか。

江川　最近はあまり行けないんですが、以前はときどき。

東海林　何を注文します？

江川　天ぷら関係は、かき揚げ系じゃなくて、固形物が入ってるやつ。芯にイカとかね。それからだいたい生卵を入れますね。

東海林　生卵はいつ食べますか。

江川　あのね、最初は崩さないでおそば食べるわけですよ。ある程度おそば食べてから崩す。そうすると、卵入りじゃないおそばと、卵を崩したかき玉系のおそばと、両方食べられるじゃないですか。

東海林　うーむ、スルドイ。

江川　そうすると、一回頼んで二つの味が味わえて得したような気になる（笑）。

東海林　なかなかB級度高いなあ。コンビニなんかはよく行きますか。

江川　コンビニのないところへは行けないくらい。

東海林　コンビニでは主に何を買いますか。

江川　ぼくは、まずとりあえずカップ麵ですね。日清系って、わりと信用できますね。

江川　「ラ王」。「ラ王」の焼きそばおいしいですね。それからスパ王のスパゲティ。「ペペロンチーノ」。これもおいしい。

東海林　次第にB級度高くなってきたなあ。

江川　きのうも「ペペロンチーノ」食べました。いまの仕事場に移ってから、ご飯食べる場所まだよくわかんないわけ。一人で出かけて行くってのもすごく気後れしちゃって。しょうがないからカップ麺とか、レトルトのお粥とか、そういうのをいっぱい買ってきて、夜はほとんどそれです。

東海林　B級というよりC級に近いんじゃないですか、その食生活は。

江川　それに一人のときは出前もとれない。

東海林　あ、ぼくもそれあります。ピザ取りたいけど一人じゃ余るし。ピザのビラがときどき入ってくるでしょ。すると、じーっと見て、取るとしたらこれだなあ、とか。

江川　これとこれを半分ずつのせて、とか(笑)。

東海林　いや待てよ、むしろこっちにして、トッピングはこれに変えて……。

江川　取らないのにね（笑）。しょうがないから、お昼はだいたいさっきの「サブウェー」でしょ。で、夜はカップ麺とかレトルトのお粥。

東海林　えーと、じゃあ、きのうの朝からの食生活は。

江川　えーと。きのうは……そうそう、朝がカップ焼きそばで……。

東海林　それから？

江川　で、お昼が「サブウェー」で……。いや、ちがう、あ、思い出した、きのうの昼はいつも「サブウェー」じゃなんだと思って、近くに「ドトール」があるんですよ。

東海林　「ドトールコーヒー」。

江川　あれのミラノサンドB。

東海林　どんなものですか、それ。

江川　フランスパンみたいなパンに、ハムとチーズが挟んであるやつ。それと「ヨシケイ」で買ったカップスープの素を……。貧しいですねえ。

東海林　いや、すごくいいですよ。B級の王道を行ってるというか、B級も危なくなってきたというか（笑）。

記者　江川さんはね、酢豚にパイナップルが入ってたりすると怒るんですよ。

東海林　え？　なんで。

記者　酢豚は酢豚らしくあれ、と。酢豚にパイナップルは邪道だ、と、怒るんです。
東海林　江川さんが怒る（笑）。
江川　サラダのリンゴ。カレーライスのライスの中の干しぶどう。ソーメンのサクランボ。
東海林　ダメですか？
江川　ダメです。
東海林　何ですかね、その根拠は。
江川　果物はやっぱり……。
東海林　果物らしくあれ、と。
江川　分をわきまえろ、と（笑）。
記者　それから中華料理のあとのデザートの甘いもの、中華饅頭とか。あれも怒る。
東海林　じゃあ、どうするんですか。中華のあと、ちょっと何か、というのは。
江川　そのまんま。ああ、きょうの中華はおいしかった、と。せっかく中華のおいしい余韻が口の中に残っているのに、甘いものなんか食べたらなくなっちゃう。だってアンコの味って強いでしょ。
東海林　それって古いなあ。中華は中華。アンコはアンコ、それぞれにおいしい。
江川　東海林さんに古いなんて言われちゃ(笑)、伝統を大事にするんです、わたしは。
東海林　じゃあ、デザートのたぐいは一切食べませんか。
江川　食べませんね。
東海林　フルーツとかはどういうときに食べるんですか。
江川　果物は果物で。家で食べるときは、とにかくご飯食べ終わって、あと片づけして。
東海林　ちょっと間を置いて。
江川　ええ。お茶飲んだりして、では、ちょっとミカンでも食べましょうか、と。
東海林　間を置かないとダメなんですね。
江川　ダメなんです。ご飯はご飯。ミカンはミカン。
東海林　なんか、明治時代の男みたいだなあ。
記者　江川さんは、神奈川新聞やめたら、飲み屋のおかみさんになろうと思ってたんですって。
江川　というか、入って一年目に、新聞社が潰れるって聞かされたんです。それは本当のことじゃなくて、先輩がからかったんですね、新入社員を。それをマジに信じて、みんなでどうしよう、転職どうしようってことになって、わたしは飲み屋をやりたいって言ったんです（笑）。
東海林　どんな飲み屋にしようと思いました？
江川　おかずがちょこちょこっとあって、そんなに大きな店じゃなくて、カウンターだけで……。
東海林　あ、わかった。カウンターの上の大皿に料理が並んでいて……。
江川　大皿だと乾いちゃうから……。まあ、とにかく作り置きのできるものと、ちょこちょこっと作れるものでやったらいいなあ、と。
東海林　あんまりいい店じゃないなあ。
江川　あははははは。
東海林　メニューを具体的にいうと？
江川　大根の葉っぱを茹でて、それで炒飯にするとおいしいんですよ。
東海林　じゃあ、店をやるとしてですね。とりあえずメニューを五つ考えてもらいましょう。まず、その大根の葉っぱと。
江川　何でしょうねえ。（考えこむ）……。さっき話に出たがめ煮どうかしら（対談に入る前、正月に江川さんががめ煮を作ったという話があった）。
東海林　大根の葉っぱとがめ煮と……。

江川　切り干し大根……。

東海林　あんまり行きたくないなあ、そういう店（笑）。

江川　あと何かちょっと、豪華なものもいきたいですねえ。

東海林　肉けが欲しいけどなあ。

江川　でも、がめ煮には鶏肉が入ってるんですよ。鶏肉、レンコン、ニンジンとか。

東海林　そういうんじゃなくて、肉が主役の料理。

江川　大根の葉っぱ、がめ煮、切り干し大根……あと二つ……。

東海林　ゆっくり考えていいですからね。

江川　あ、明太子のサラダ。これはなかなかおいしくてね。明太子をほぐすでしょ。それにマヨネーズとお酢をちょっと入れて溶くんですね。これをいろんな野菜にかけて食べる。野菜は生じゃなくて、茹でたりして火を通したものがいいですね。ブロッコリーとか、ナスをちょっと油で焼いたものとか、キャベツをさっと茹でたりとか、彩りもきれいだし。

東海林　なんだか、けっきょく野菜ばかりの店だなあ。

江川　あと、お酒もいいのを置いたりとかね。

東海林　でも客商売というのは大丈夫ですか。へんな禿げのおっちゃんが来てからんだりしますよ。

江川　それが問題です（笑）。会員制にしようかなあ。
東海林　大根の葉っぱで会員制ですか。
江川　いや、大根の葉っぱは、これもこうして食べるとおいしいというたとえですよ。本体もちゃんと食べますよ。ふろふき大根にしたり……。
東海林　やっぱり、あんまり行きたいと思わないなあ、江川さんの店には。（対談は赤坂の中華料理の店で行われていて、ここで食後の饅頭が出る）あ、来た来た。甘いのが来た。江川さん、世の中の流れはこうなってるんですよ。
江川　わざと注文したんじゃないの（笑）。
東海林　これが時代の流れなんです。困るでしょう、これは。
江川　困りますねえ。

東海林　江川さんも少し訓練して、社会復帰したほうがいいですよ。
江川　わたしは伝統を守ります。
東海林　食べ物を、中華系と洋食系と和食系とに分けたらどれが好きですか。
江川　だいたい和食系ですね。お醬油系。
東海林　ご飯だったらおかずはどうなりますか。
江川　一品だけですか？
東海林　三品まで許します。
江川　白いご飯に……塩から。イカのばかりじゃなく、鰹の塩からとかね。
東海林　いきなり塩から……。
江川　白菜のおしんこの葉っぱのところ。あと一つ……。
東海林　ゆっくり考えてください。
江川　朝だったらやっぱり納豆ですね。
東海林　補欠を一つ許します。
江川　補欠だったら塩鮭も好きなんですけど……梅干しっていうのもいいな。
東海林　うーん、やっぱり梅干しに行ったか。塩から、白菜漬、納豆、塩鮭、梅干し。
完全にオヤジ系ですね。
江川　一つぐらいはずしたいんですけどね（笑）。

記者　そういえば、江川さんはソースがダメなんですよ。
東海林　え？　じゃコロッケには？
江川　お醬油。
東海林　え？　コロッケに醬油!?
江川　え？　じゃ、コロッケにはふつう何かけます？
東海林　ソースに決まってるじゃないですか。
江川　えーっ!?
東海林　じゃあ、アジのフライには？
江川　お醬油。
東海林　えーっ!?　するとエビフライはどうなるの？
江川　お醬油。
東海林　エビフライにはふつうソースですよ。あとタルタルソースもかけるけど。
江川　タルタルソースだったら、そこへお醬油をちょこっと混ぜて食べる。
東海林　好きなようにしなさい。じゃ天ぷらは？
江川　醬油か天つゆかどっちかです。外では天つゆしかないからしょうがないけど、家では大根おろしをいっぱいつくって、醬油をいっぱいかけて、それをつけて食べる。
東海林　好きなように食べなさい。それは子供のときからそうなんですか。

江川　はい。
東海林　家庭がそうだったんですね。
江川　はい。
東海林　じゃ、しょうがない。情状酌量の余地がある。
江川　でも、ほんとにアジのフライって、ソースで食べる？
東海林　学生時代とか、周りを見回したことありません？　早稲田の周りの定食屋なんかで、みんなアジのフライにソースをかけて食べてたでしょ。
江川　アジのフライをですかあ……。
東海林　ようく思い起こしてください。
江川　アジのフライは醬油で食べると思うけどなあ。わたし、ホラ、そう思い込んでたから、周りを見回すということは……。
東海林　じゃあ、いいです。アジのフライは醬油で食べなさい。トンカツはどうします。
江川　醬油です。
東海林　やっぱりかけてたか。
江川　だっておいしいんだもの、そのほうが。うちは食卓の上にソースが置いてある光景ってなかったんですよ。母親がソースは料理の隠し味ぐらいにしか使わなかったから。
東海林　家庭ではそうでも、世の中に出てから、周りを見回して、自分はヘンだと気が

つく時期があるもんですけどねえ。あ、お好み焼きはどうなります。

江川　続々と（笑）。

東海林　まさかお好み焼きに醤油というのは。

江川　わたし、お好み焼きそのものを食べる機会があまりないんですよね。

東海林　話を逸《そ》らさないでください。

江川　お好み焼き屋さんていうのは、基本的にはソースしかないんですよね。でも、マヨネーズは使うから、ソースを半分にして、マヨネーズにお醤油をちょろっと入れられたら嬉しいなって。

東海林　嬉しいなって（笑）、なんだか不憫だな。そうだ、焼きそばはどうなります。

江川　だから付いてるソースを半分捨てて、そこへ醤油を足す。

東海林　あ、そこまで行ってたんだ。半分じゃないでしょう。三分の二捨てるでしょう。いや、半分以上かなあ。
江川　いや、半分は捨てますね。いや、半分以上かなあ。
東海林　ほらね。
江川　じゃあ、醬油しかない国と、ソースしかない国があるとします。
東海林　おっ。反対尋問になってきたな。
江川　そのときどっちに行きますか。
東海林　そりゃ醬油の国ですよ。
江川　ですよねえ。そこでコロッケが出てきました。醬油の国で。
東海林　しょうがない。醬油です。
江川　ほらね。活路を見出したような気がする（笑）。
東海林　なんか、いまのヘンな誘導尋問だなあ。でも、これでだいたいわかりました。
食べ物で炙《あぶ》り出した江川紹子という人物の……。
江川　鑑定書ですか（笑）。

ハトヤ大研究

日本人、特に関東地方の人で、ハトヤを知らない人はいまい。

道行く人、老若男女、誰でもいい、背後から忍び寄って行って、例のメロディで、

「〽伊東に行くなら……」

と囁いてみるといい。十人が十人、

「ハ、ト、ヤ」

と、思わず振り返ってつぶやくにちがいない。更に、

「伊東に行くならハトヤ、と何となく決めたわけですか？」

と問えば、

「はっきり決めた。ハトヤに決めた」

と答えるはずだ。間髪を入れず、

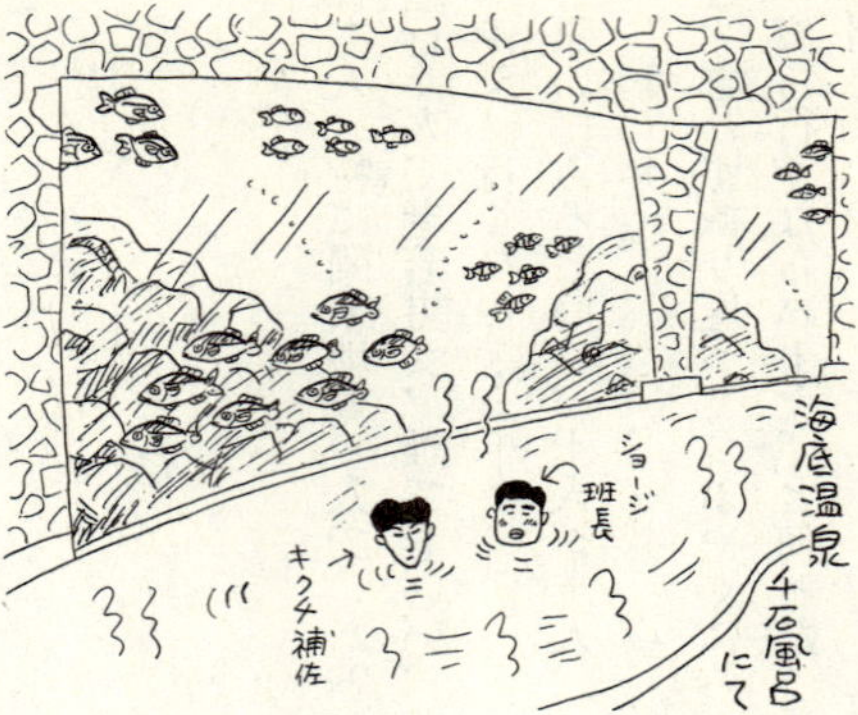

「ハトヤの電話番号は？」

とたたみかければ、

「ヨン、イチ、ニィ、ロク。電話はヨイフロ」

と、よどみなく答えるにちがいない。

ハトヤに行ったことのない人でも、ハトヤの電話番号を覚えているのだ。

そのぐらいハトヤの知名度は高く、ハトヤに関する人々の知識は深い。

「ハトヤのお風呂といえば？」

という問いには、

「海底温泉千石風呂」

と答え、

「ハトヤのハッピを着た男の子が、大きな暴れる魚をかかえるＣＭの釣り堀の方式は？」

の問いには、

「釣れば釣るほど安くなる三段逆スライド方

式」

と、スラスラ答えるはずだ。

数年前だったか、テレビの番組で、「あのハッピの男の子は今どうしてる？」というレポートをやっていたが、ハトヤに対する人々の関心はそれほど高い。

一般大衆だけではない。おそれ多くも昭和天皇がハトヤに多大の関心を寄せておられたのだ。

『天皇陛下の会話集』（ごま書房）という本には、昭和天皇が須崎御用邸に向かわれる御召し列車の中で、侍従に、

「ハトヤはどこだ？」

とお尋ねになったというエピソードが明らかにされている。

一般大衆から上つ方に至るまで、ハトヤは全国民の関心の的なのだ。

すなわちハトヤは日本の大衆温泉の大代表なのである。

ハトヤを探究することは、日本の温泉文化を探究することになる。

ハトヤを究明することは、日本人の行楽を究明することにつながる。

ハトヤを探究することは、ひいては日本人と遊びを解明することにつながり、さらに、ヨハン・ホイジンガが提唱するところの「ホモ・ルーデンス」の世界を探究することにもつながるのである。

ハトヤはいまここに、ようやく解明されなければならないことになった。

ハトヤは、昭和から平成に至る日本人の大衆文化の文化遺産として、はたまた日本の大衆文化の行く末を占う歴史的史料として、早急に探究、究明、査察されなければならないのだ。

いま、ハトヤで人々は何をしているのか。

ハトヤでどんなふうに過ごしているのか。

ハトヤの夕食はどんな食事が出てくるのか。

ハトヤの下駄はどんな下駄なのか。

ハトヤの冷蔵庫はどういう方式の冷蔵庫なのか。ビールビン横置き一本引っこ抜き即時フロント察知非情方式なのか。

あるいはビールビン縦置きあとで申告おおらか温情方式なのか。

そのビールは一本いくらぐらいするのか。

ハトヤのショーはどんなショーなのか。

そのショーをどんな人々が見ているのか。

ハトヤの部屋のテレビはカネを取るのか取らないのか。

それより何より「海底温泉」とはどんな温泉なのか。

海底で入る温泉気分とはどんなものなのか。

ハトヤで芸者は呼べるのか。

あるいは、呼んでもいいのか。

ハトヤのCMには子供がやたらに出てくることでもわかるように、ハトヤのウリは家族的雰囲気にある。そんなところに芸者を呼んでヤニ下がったり、ヤニ上がったりしてもいいのかどうか。

これらのすべてを解明して、まもなくやってくる二十一世紀における日本人の大衆文化の見通しをつけておかなければならない。

本来ならばこの探究は、文部省、あるいは文化庁あたりがやらなければならない仕事なのだが事は急を要する。

とりあえずぼくが、文部省と文化庁になりかわってハトヤの査察を行っておきたい。つまり、いちおう民間ではあるが、〝ハトヤに査察が入る〟ということになるのだと思う。

〝ハトヤを査察する〟ということになれば、当然〝ハトヤを急襲する〟ということになり、当然〝関係書類多数押収〟ということになり〝ダンボール箱手渡しリレー方式でライトバンに搬入〟という事態に立ち至ることになる。その場合、ぼく一人では〝手渡しリレー〟をすることができない。

そこで「ハトヤ急襲査察班」というものが急遽結成され、当然ぼくが班長ということ

駅頭の番頭さん
ハトヤ
他の旅館の番頭さんたちもハッピは着ていない

になり、当然、リレー相手の班長補佐には、本誌担当のキクチ青年が採用されることになった。

こうして査察班は、東京駅七番線十五時五十分発踊り子三号に飛び乗ってハトヤに向かうことになった。

これは査察班二名による、堂々十八枚、七千二百字からなる渾身《こんしん》のハトヤ査察レポートである。

午後五時十四分、査察班を乗せた踊り子三号は伊東駅に近づきつつあった。

列車の進行方向左側、海べりにサンハトヤの偉容が見えてきた。

査察班の胸は高鳴る。

伊東にはハトヤとサンハトヤがあり、今回査察の対象となったのは、サンハトヤの方である。堂々十五階建て。室数二百余。収容人員一千余名の大ホテルである。

伊東の駅頭には、ニューオカベ、水明荘、大和館、小涌園などの旗を持ったハトヤのライバルの方々も一列に並んでいる。

ハトヤの番頭さんに案内されて、ハトヤのマイクロバスのたまり場に行き、そこから約三分のハトヤに向かう。ハトヤは駅から一キロほど離れているのだ。

案内された部屋は十四階、一四一九号室。

畳数十二畳。プラス板の間三畳。

床の間、海に面した浴室つき。

床の間にあるテレビはカネを取るのか取らないのか。査察班の目はまずそこに行った。

結果。取らない。

冷蔵庫の方式は？　これは残念ながら非情方式のほうであった。

部屋からの眺めはまことにすばらしい。目の前に青い太平洋が拡がり海の風が頬に心地よい。

部屋の印象は、広さ、清潔感、居心地、眺め、いずれも百点満点の百点であった。

係りの女性（推定年齢四十二歳）の印象も百点満点の百点であった。

査察班はただちに浴衣に着換え、主要テーマの「海底温泉」に向かうことにする。

「ＣＭで見ると、浴槽の横を大きな魚が泳いでいますが、あれは海底を泳いでいる魚が、

風呂に入っている人が珍しくて自然に寄ってくるんですか」

百点満点の女性に尋ねると、

「いえ、あれは飼ってるんですよ」

という意外な答えが返ってきた。

飼ってる？　エ？　どういうこと？　ということは……？　と考えていると女性は更に意外なことを言った。

「海底温泉は夜七時でおしまいですのでお早めに」

温泉旅館の風呂が七時でおしまいとは早過ぎはしないか。

むろん、海底温泉のほかに大展望風呂もあって、そっちは一日中いつでも入れるという。

「お魚さんたちも、夜はホラ、眠らなければなりませんから」

ということだが、とにもかくにも行ってみ

なければなるまい。

浴衣を着て帯をしめようとして、ハトヤの帯に仕掛けがあることに気づいた。帯が前にくるところに十センチぐらいのファスナーがついていて、そこのところが袋状になっている。すなわちそこの部分がサイフになっているのだ。

ナルホド、これは便利だ。これもこんどテレビCMでお知らせしたほうがいい。ハトヤ名物「前一列横スライドファスナー方式サイフ帯」というのはどうか。

海底温泉に行こうとエレベーターに乗ると「海底温泉千石風呂三階」という表示が出ている。

「海底温泉が三階に!?」

とキクチ補佐が驚きの声をあげる。

「海底を三階まで持ちあげちゃったんでしょうか」

と、わけのわからないことをいっている。

とにもかくにも「海底温泉」はちゃんと三階にあった。

かなり大きな大浴場である。

幅二・五メートル、タテの長さ十五メートルほどの長い浴槽があって、その浴槽の奥の壁面がガラス張りになっていて、CMのとおり、大きな魚たちが泳いでいる。

ガラスの壁面の高さは浴室の天井近くまである。浴室の入口の反対側の窓から海が見

える。空も見える。

〝海底〟はどうなったのか。

〝海底〟はわれわれの早とちりであった。

浴室の壁にはこういう掲示があった。

「海底温泉」

当ホテルサンハトヤは広大な海のリゾートに海底温泉という未知なる夢を実現すべく長期間にわたり総力をかけて参りました。そして海底ゆえの予測しがたい難関を特殊工法による最新技術でしのぎぬき突破し、掘削すること一〇〇〇米、遂に良質の温泉を掘り当てることに成功しました。（中略）銀鱗をきらめかせつつ遊泳する魚の群を眺めながら、ゆったりと海底温泉にひたる醍醐味は、正に至福そのものとの賛辞を賜っております。

うかつであった。査察班はおのれの不明をつくづく恥じるのだった。

辞書を引くまでもなく、温泉には、温泉を利用した浴場あるいはその地名の意味と、湧出する湯そのものを指す場合と二つの意味がある。ハトヤの「海底温泉」の海底は、浴場のほうではなく、湧出する湯のほうを修飾していたのだ。それなのに、われわれが勝手に「浴場」のほうだと解釈していたのだ。

ホテル到着が五時三十分。海底温泉の入浴に十五分を費し、なんだかんだで十分を費し、いま時刻は五時五十五分。

夕食は、二百人収容の「ゴージャスなショーとディナーを楽しむための」レストラン・シアターで六時から始まる。

本日のショーは「中国雑技団」のアクロバットショーと「柳沢純子ショー」だ。

柳沢さんは「『あなたの片想い』でデビュー以後、ファンの注目を集めてテレビ、ラジオで活躍している歌手」で、今夜は「熱唱する魅惑のステージ」を見せてくれるのだ。

このレストラン・シアターの客はほとんどが「個人」、すなわち家族づれで、いわゆる会社関係の「団体」さんは、七百畳の「大聖竜大宴会場」、その他五か所の宴会場のほうで大宴会を開いているのだ。

「老いた両親と息子夫婦と幼児」もいれば、正しい「フルムーン」もいるし、正しくない「不倫風」もいる。正しいのか正しくないのかわからない「カップル」もいる。

ショーのほうは、司会なしで、柳沢さんが衣裳を取っ換えひっ換え歌い、ときに大勢の踊り子を従えて踊り歌い、その合い間に突然的に雑技団が綱渡りや人間ピラミッドなどを行うというものである。

そのたびに、食事のテーブルの上が暗くなったり明るくなったりし、暗いときには料理がよく見えないということもあるが、それは明るくなったときによく見ておけばよいだけの話で、特にさしさわりがあるということはなかった。

われわれのテーブルの上の料理は次のようなものである。

①舟盛りの刺し身（伊勢エビ、サザエ、白身魚）②オードブル（枝豆、魚粕漬、ホタテ黄身酢のせ、鶏肉卵巻き）③鉢物（ユバ、インゲンゴマ味噌和え、卵の寄せ物の上にアナゴをのせたもの）④寄せ鍋（コンロ火つき）⑤エビグラタン⑥刺し身（マグロ、甘エビ、タイ、白身）⑦酢の物（サーモン、タイのカブラ巻き）

刺し身がダブっているのは、宿泊料金が三万円のほうは、二万円台の料理コース＋舟盛りとなっているせいだ。

宿泊料金は二万五千円よりで、その上は三万、三万五千といくらでもある。

料理そのものは、それぞれが、それなりの品質と体面と味を保っていて、それぞれにそれなりに健闘している、という気がしないでもなかった。

ショーが終わると、大ホールの舞台の反対側の天井から、三十羽ほどの白い鳩が飛び立ち、迷うことなくいっせいに舞台めがけて飛んで行き、舞台天井に張られた一本のロープに一列に並んで止まった。

客は思わず拍手し、そして思わず、

「ハトヤだからだ」

「ハトヤだからだ」

と言い合い、うなずき合い、心から納得し合い、喜び合うのだった。

査察班は忙しい。

食事終了に合わせて芸者二名が部屋に来ることになっている。ハトヤで芸者は呼べたのだ。呼んでもよかったのだ。

着物姿の芸者さん二名をわれわれの十二畳の部屋に招じ入れ、いよいよハトヤで芸者を揚げることになった。

両名の名はK花にS香。

K花嬢が推定年齢三十一歳。S香嬢は十九歳（自分で自白）。

両名は互いに面識はなく、六時から八時までの団体のお相手をし、その終了後ただちに二名のプロジェクトチームを組んで個人の要請に応じた、ということが両名の供述によって判明した。

両名は手ぶらでやってきた。すなわち三味線なし、歌舞音曲なし、お話のみ。

一般的に、〝芸者を揚げる〟という意味の中には、当然三味線が鳴り響き、歌舞音曲のひとときがあり、ときには芸者も客も共に立ちあがって踊りの一つも踊る、という部分が含まれているものだ。

そういうひとときがあってこそ〝芸者を揚げた〟という実感があるものである。

しかし今回は、芸者も客もすわったきりで、一度も立ち上がるということはなかった。こういうのは〝芸者を揚げた〟とは言いがたい。〝芸者を煮た〟とか〝芸者を茹でた〟と言うべきなのだろうか。

芸者の玉代は一人約一万六千円だった。

時間は二時間。

お話の内容は、伊東に於ける芸者の現況、伊東市全体の景気、自らの生い立ち、私の趣味趣向（ＳＭＡＰの中の誰を私は一番好むか）といったものであった。

お金を払ってお話を聞く、という意味では、一種の講演会とも考えられる。

大前研一さんとか、だいたいやネの竹村健一さんなんかの講演会とよく似ている形態ということができる。

査察班は忙しい。

講演会は一時間で切りあげていただいて、両名を伴ってスナックの査察に向かった。

「査察に芸者同行」ということになると、代議士などの「視察に芸者同行」と同様、の

ちのち問題になるかもしれないが、残り一時間の玉代が惜しかったのだ。

ハトヤのスナックはやはりカラオケ族に占拠されていた。

会社の旅行風男女七名グループ。それからここにもやはりフルムーン、不倫、カップルというおなじみの人々と、やたらにマイクを要求する不気味中年一人オヤジというのがいた。フルムーンの妻は、カウンターでマイクを握って朗々と歌う中古の夫を、頼もしそうに見つめるのだった。

査察班は忙しい。

ここでようやく時間切れの芸者を帰すと、ただちにハトヤのラーメン状況の視察に向かった。

ハトヤのラーメン屋はまことに清潔であった。オヤジの目付きが真剣であった。

はたしてラーメンは上出来であった。温泉旅館のラーメンとは思えないラーメンだった。

八百円だった。ビールも八百円だった。

ちなみにスナックのビールも八百円だった。

横置き引き抜き式の冷蔵庫のビールは七百七十円だった。

ハトヤの創業者は大資本ではなく、もともとサラリーマンであった原口清司という人で、創業は昭和二十二年。ハトヤのCMソングは作詞野坂昭如、作曲いずみたくである。

以上で渾身のレポートを終わる。

携帯電話は悪者か

携帯電話の評判がわるい。

携帯電話で話をしている人を悪者のように言う人もいる。

携帯電話、と書くのは大変なので、以後、ケータイと書くことにする。

ケータイを憎む人は新聞に投書したりする。

ケータイがけしからん、という人の論拠は二つある。

「ケータイははた迷惑だ」

というものと、

「ケータイは危険だ」

というものである。

〃危険〃のほうは、「車を運転しながらのケータイは危ない」というものと、もう一つ

は、「医療機器の周辺での使用は危険」ということになる。まことにもっともな話だ。

では〝はた迷惑〟のほうはどうか。

どういうふうにはた迷惑なのか。

「ケータイの使用は、他の乗客の方の迷惑となりますので、デッキに出てご使用ください」

と新幹線では放送している。

新幹線は、ハッキリ〝迷惑〟だと断定している。

そのへんのオッチャンやオバチャンが、

「迷惑なのよね、あれ」

と言っているのではなく、公共の機関が迷惑だと断定しているのだ。

では、ケータイはどのように迷惑なのか、具体的な例を挙げて言ってみろ、と言われると大抵の人はシドロとモドロになる。

「エート、聞きたくもない話を聞かされて迷惑なのよね」

とか、

「せっかく心静かにしているのに、心を乱されるのよね」

とか、

「ああいうものは、もともと人混みの中では使っちゃいけないものなのよねー」

とか、だんだん論拠が曖昧になってくる。

もちろん、最初の呼出音の〝ピリリリ〟には誰もが心を乱される。

これははっきり具体的に迷惑である。

最近は電車に乗っていて、ケータイの〝ピリリ〟に出くわさないことはまずない。

なんとなくボンヤリつり皮につかまっていると、突然、車内のどこからか〝ピリリ〟という音が発生する。音の発生源の周辺は、とりあえずドキリとする。このドキリはかなりのもので、

（誰だ、フントニモー、ドキリ賃よこせ）

と言いたくなるぐらいドキリとする。

これまでの日本人の歴史の中で、電車の中で電話の音が聞こえてくる、ということはなかったので、よけいドキリとするのだ。

つまり、ありえない音が聞こえてくる驚きなのですね。

〝ピリリ〟の周辺はとにかく驚く。

キッと身構える人もいる。

許さんッ、とスバヤク鼻息を荒げる人もいる。

つり皮につかまって「日本経済新聞」を読んでいたフチなしメガネの管理職タイプのメガネのフチがキラリと光る。

この時の車内の反応は、電車の中でおならをした人を追及するときに似ている。

そのとき、〝日本経済新聞〟の二メートルほど先のシートにすわっていた若いサラリーマンが、あわててピリピリ鳴りつつあるカバンからケータイを取り出す。あわてているその手つきは、焼きたての熱い焼き芋を手に持ったときに似ている。

（あいつだ）

目標が定まって〝許さん〟の人々の目の光が強くなる。

そうですね、このとき、少なくとも十人の人々が、この青年の一挙手一投足を、悪意のこもった目で見据えていることになる。

不始末。そういう目で見ている。

そうなのです。いまのところ、車内のケータイは〝おならと同様の不始末あつかい〟なのだ。

若いサラリーマンもまた、自らの不始末を恥じつつ、肩をすくめ、うんと前かがみになって、とりあえず小さな声で「モシモシ」と言う。

　周辺一帯は、

（さあ、このあとどうなる）

（こうして、社会全体にこのような迷惑をかけておいて、もし、どうでもいいような内容だったら絶対に許さんけんね）

（もし、ガールフレンドなんかからの電話だったら首しめるかんね）

という、けんねかんねの視線があたり一帯に錯綜する。

（大体ケータイ持ってるやってさあ、風采のあがらないサラリーマンが多いんだよな）

（なんかこう、オドオドしてるのよね）

（そうそう、ああいう出世しそうにないタイプが多いのよね）

などと、周辺の視線はどうしても厳しいものとなる。

（さあ、どうするどうする）

若いサラリーマンは、俯《うつむ》いたままケータイを耳に当て、

「いま電車の中なので、あとでこちらから掛けます」

と言うや、ピッと電話を切る。

周辺一帯の肩からいっせいに力が抜け、目から光が消え、中にはヨロヨロとよろけて

いる人もいる。

（なんだ、折り目正しいイイ青年だったじゃないか）

（キリッとした顔だちで、なんだかたのもしいじゃないの）

（いずれ出世するタイプよね）

ということになり、周辺一帯に平和がよみがえり、〝日本経済新聞〟はフチなしメガネをかけなおし、日本経済の検討に戻ることになる。

と、そのとき、さっきのピリリと反対側の前方約一メートルのあたりから、再びピリリが発生し、周辺一帯は再び非常警戒態勢に入る。実にもう、最近の車内はピリリだらけなのだ。

こんどのピリリは若いＯＬだ。若いＯＬには〝不始末〟の感覚など微塵もない。だからこそ、よけい〝日本経済新聞〟のメガネは光る。女のくせにケータイなんか持つんじゃねーよ、と光る。

もし、

「ハイ。あ、コージ？　ごめんね、寝てたから黙って出てきたの。いま起きたの？」

なんて内容だったら、ただちに飛びかかって首をしめようと考えているのだ。

だが、もし、その内容が、

「エ？　父が交通事故？　入院？　で病院どこ？　すぐ行く」

というものであったらどうなるか。

（ケータイ持っててよかったじゃないか）

と、そのＯＬに同情する立場に急変するのである。

いまやケータイは、洪水のごとく日本中にあふれつつある。この風潮は、もはや誰にも押しとどめることはできまい。電車の中で、いかにも〝ケータイ非難派〟風の表情ですわっている人のカバンの中に、実はケータイがひそんでいるということもありうるのだ。

いま、鳴ってはいないものの、車内の乗客の八割がケータイを持っているということも考えられないことではない。

ここにおいて、電車内におけるケータイ使用の際の、新しい基準、新しいマナー問題

が提起されなければならないことになった。どういう内容なら許されて、どういう内容なら非難されるのか。

〝日本経済新聞〟の基準はこうだ。

すなわち、さきほどのOLの例で挙げたような緊急を要するもの。これは全面的にOKとなる。

緊急を要しないもの、すなわちさきほどのOLで挙げたような、コージが寝てたとか起きてたとかいうもの、これは全面的に許されない。

〝日本経済新聞〟の許されるほうの尺度の根源をたどると、それはかつてのテレビ戦争映画「コンバット」にさかのぼる。

ヘンリー少佐、サンダース軍曹、リトルジョン、カービー、ケーリーなどからなる小隊の、第二次世界大戦における対ドイツ軍との戦いを描いたテレビ映画である。

遠く斥候に出たケーリーから、小隊長のサンダース軍曹のところへ携帯無線で連絡がくる。

「軍曹。およそ七十名の敵が、前方百メートルのところまで迫っています。オーバー」

「よし、すぐにそこを引きあげろ。オーバー。リトルジョン、カービー、右上方の土手に散れ」

と、緊迫した場面ではやたらに携帯無線が活躍していた。当時の戦闘では、携帯無線の優劣が、戦況を支配したこともあったし、携帯無線の故障とその修理の過程が、一つのドラマになったことさえあった。

携帯無線は、戦場の作戦本部の華であった。そしてまた、この「オーバー」で切るやりとりがとてもかっこよかった。イカしていたわけですね。

当時の携帯無線は、電池の性能もよくなかったし、その寿命も極めて短かったから、本当に必要なとき以外は絶対に使わなかった。ギリギリの極限状況になるまで使わなかったのだ。コージが寝たの、起きたのという問題では使わないものだったのである。

〝日本経済新聞〟は、この「コンバット」を見ながら大人になった。

大人になってからは、石原裕次郎のテレビドラマ「太陽にほえろ！」をよく見るようになった。このテレビドラマでは、警察無線が活躍した。

裕次郎のボスは、警察無線でゴリさんやデンカやスニーカーと連絡を取りあった。

「犯人は霞町方面に逃走中。拳銃を所持しているから気をつけろ。ドーゾ」

「了解。ドーゾ」

と、やりあう場面がとてもイカしていた。

自分もああいう機器を、ああいうふうに駆使してみたい。

いま身近に、ああいうものがあったらどんなに便利だろう。ずうっとそう思い続けてきて、いま、その機器が、形を変え、更に便利になってようやく身近なものとなったのだ。

いま、その機器を手にしたとき、昔、すりこまれた〝緊急時のみ使用〟という考え方があざやかによみがえってくるのだ。

こういう大切なものを、寝物語ごときものに使っていいのか。

〝日本経済新聞〟は、日本経済新聞を読みつつ、車内のケータイの内容に耳をそばだて、ウン、その内容なら許す、そういう内容なら飛びかかって首をしめねばならぬ、と、常にその判断に忙しいのだ。

しかし、この〝日本経済新聞〟の判断の基準は、やがてむなしいものとなるはずだ。怒濤のごとく押し寄せ、雲霞のごとく増大するケータイによって、やがて車内は〝寝物語〟のルツボになるであろうことは想像に難くない。

しかし、いまのところは過渡期のせいもあって、車内の拒否反応はまだまだ強い。迷惑の意識はまだ当分続く。

なにしろケータイは、まだ世の中に出現したばかりなのだ。ケータイを使うほうのマナーはもちろん、近辺で使われるほうの正しい対応の仕方もまだ確立されていない。特に、自分のすぐ隣で使われる場合の対応の仕方が確立されていない。

一体どういう態度で、どういう表情で対応したらいいのか。

しつこいようだが、もう一度〝日本経済新聞〟に登場を願って、そういう場面を再現してみることにしよう。

〝日本経済新聞〟は、その日も、立ったまま、日本経済新聞を読みつつ日本経済の行方をハゲシク検討していた。

そのとき、彼の正面の男の胸ポケットのあたりがピリリと鳴った。

三十五、六歳の、サラリーマン風の男である。男はケータイを耳に当てる。
「なんだ、お前か」

どうやら奥さんからの電話のようだ。

「かけてくるんじゃないよ、こんなところに」

なにしろ男は、〝日本経済新聞〟と向かい合っており、彼が読んでいる日本経済新聞を圧するばかりの近さで電話をしているのだ。〝日本経済新聞〟は一応無表情を装ってはいるが、ケータイの会話はいやでも耳に入ってくる。

「だからァ、けさも言ったろう。おふくろが言うことをいちいち気にするんじゃないって」

この事態に〝日本経済新聞〟はどういう表情で、どういう目つきで対応したらいいのか。

こういう場合の更にまずい点は、車内の人々が、ケータイの人と、そのケータイの直前の人とをワンセットにして見ている点だ。

車内の人々は、〝日本経済新聞〟を、当然ケータイの中身を聞いている人、としてとらえているのだ。その人がどういう表情をしているか、を見守っているのだ。ただ単に、ケータイの隣に立っていただけなのに、いつのまにか〝当事者〟になっていたのだ。

〝日本経済新聞〟の表情がこわばるのも無理はない。聞き耳を立てているわけではないが、当然声は聞こえる。聞こえるが聞こえてないふりをしなければならない。と同時に、日本経済新聞を読んで日本経済の行方も検討しなければならない。と同時に、〝当事者〟として、人々の視線を浴びていることも意識しなければならない。

ケータイの男はしばらくケータイに耳をかたむけたあと、険しい表情になって、

「だからァ」

と押し殺した声で言ったあと、すぐ目の前の〝日本経済新聞〟のほうをチラと睨み、

（人の話を聞くんじゃねーよ）

という目になる。

（聞いてねーんだよ、こっちは）

と〝日本経済新聞〟はくやしい。

聞いてはいないが聞こえてはいる。

そこのところに一抹のやましさはある。

だからよけいくやしい。

くやしいが、改まって相手に抗議はできない。

聞きたくもない話を聞かされたうえに、更に非難を浴びるくやしさ。

人間いつどこで被害にあうかわかったものではない。

こうした被害は、ケータイの増加と共にどんどん増えるはずだ。

いまからそうした場合の対応の仕方を、誰もが練っておく必要がある。

この場合は、ケータイ側が〝日本経済新聞〟を一応睨んだからまだ救いがあったということもできる。

睨みも何もしないで、まったく無視されるくやしさというものもある。

最近目につくのは、車内で平然と化粧している女である。

周囲のオバサンなどの、

「アレマ、このヒトは、人なかで堂々と化粧なんかしちまって、アンレマ」

という非難がましい視線を浴びながら、堂々、コールドクリームで元の化粧を落とすところから始まって、眉を描き、口紅を塗りあげるところまで、えんえんと化粧をしつづける。

ときどきジッと鏡を見つめてウットリと微笑んだりして、あたりに人がいないも同然なのだ。

こういうときはなぜかくやしい。

「ここにオレが居るんだよ。居てオメーをじっと見てんだよ。オレに気がつがねのか？オレを無視すンのか？」

とくやしい。

そうなのだ、無視されたくやしさなのだ。

事実、彼女は周囲の人間を無視しているのだ。というか、人間じゃないと思っているのだ。スイカやカボチャだと思っているのだ。

そうじゃなければ、あんなにウットリとするはずがない。

人間じゃないと思われてくやしくない人はいない。

ケータイでもこれと同様のことが起こる。

もし、さっきの〝日本経済新聞〟の目の前のケータイ男が、〝日本経済新聞〟を一度も睨まなかったらどうなるか。

〝日本経済新聞〟はまったく無視されたことになる。人間じゃないと思われたことになる。

それに、ケータイの中身が嫁姑問題だったことも救いになっている。

目の前の男が茶パツのニイチャンで、

「ゆうベキモチよかった?」

「ウフン、バーカ」

というような内容だったら。しかも周囲をまったく無視して居ないも同然のふるまいをしたら。

〝日本経済新聞〟はまちがいなく茶パツの首をしめるにちがいない。

草井《くさい》是好《これよし》氏のクサイ話

エート、どのようにご紹介申しあげたらいいのか。クサヤ、納豆、ブルーチーズなど、臭いものに目がない農学博士。東京農大教授。発酵学の権威。最近『草井是好からの御挨拶』を発刊。本名は小泉武夫氏。

小泉　あしたから中国へ行きます。二週間ほどちょっと山の中に入ってね。ここでまた、ものすごく臭いものを食べるんですよ（ニコニコ）。

東海林　どういうふうにすごいんですか。

小泉　こんどのはね、とにかくすごいんです。魚をですね、釣った魚をそのまんま釣針からはずして、すぐそばの土に穴掘って、そこへポンポン放りこんで漬けこんで、土の

中で発酵させて……。

東海林　腐らせるわけですね。

小泉　エート、それから、きょうは世界一臭い中国のお酒も持ってきたので、あとでぜひ。この酒はすごいんです。匂いを計る機械があるんですが、そのメーターが振り切れちゃう。それからこれは、酔っぱらう前に差しあげときたいんですが、ぼくが書いた本全部持ってきたんです。とりあえず手元にあるのを持ってきたんですが、全部で十二冊あります。全部ぼくのサインがしてあって……。あ、ぼくは落款《らっかん》も彫るんですよ。この全部の本に押してあります。ぼくの落款は魚のアラなんです。ホラ、これがそうなんです。ぼくの本はほとんど臭いものの話なんですが、このような『灰の文化誌』なんていう本も書いてんです。灰なんてみんなふだん忘れて暮らしているの

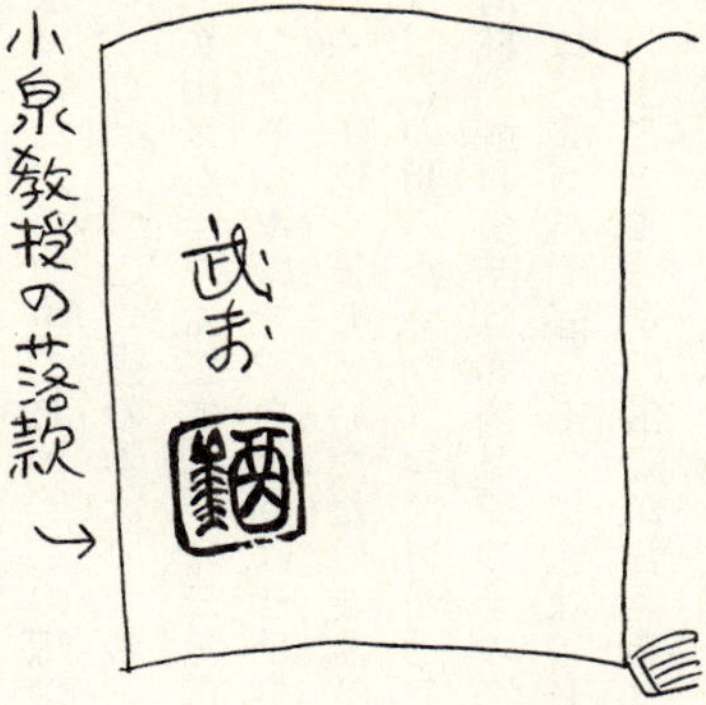

が最後はみんな灰になるって（笑）、そんなことが書いてあるんです。それからですね、これ、珍しいでしょう。鯨の缶詰。須の子の缶詰。あとでこれも食べましょう。それとですね……。

東海林　少し話を整理しましょう（笑）。まず、あすから中国へ行かれると。そこでものすごく臭い魚を食べる予定であると。それから、きょうは世界一臭いお酒を持ってきていただいているのでそれをご一緒に飲むと。お書きになった御本の中には灰の本もあると。それには落款が押してあると。それは魚のアラであると。それから、エート、何でしたっけ。

小泉　あとですね。これは新島の丸角物産のマエダテツオが作ったムロアジのクサヤです。おやじさん！（対談は小泉氏行きつけの店で行われている）これ、あとで焼いて持ってきて。クサヤはですね、こっち側、皮のほうですね、こっちを五分位弱火で焼いて、あと身のほうは三十秒でいいんです。表面のバクテリアを焼けばそれでいいんです。これがクサヤを焼くときの極意ですね。

東海林　とりあえずビール飲みましょうか。

小泉　いただきます。じゃ、この鯨の須の子開けましょう。これをつまんでからビールということに。この須の子はですね、十三年ものなんです。十三年前というと、バーコードが出来た年なんですね。十三年前に七十個買ってときどき食べてるんですが、まだいくつかあったので、きょうはぜひ東海林さんに食べていただこうということで。あ、ちょっと缶切り貸していただけます？（キコキコ）ここんとこ、ここんとこ。肉のとこより、この脂みたいなブヨブヨんとこ。ここが旨いんだ。

東海林　鯨の缶詰は赤肉と須の子の二種類があって、須の子のほうが圧倒的に高かったですね。ぼくが下宿してたときは、安い赤肉のほうばっかり食べてました。それにしても、いまどき須の子の缶詰が食えるとは。じゃ、この十三年ものでビールを！

小泉　（グイーッ）ああ、おいしい！

東海林　ビールは臭くないけどお好きですか。

小泉　いや、やはり日本酒ですね。晩酌なんかはもっぱら日本酒です。

世界臭いものベスト5

東海林　ふだんはどんなものを食べておられるんですか。たとえば朝食なんかだと。

小泉　納豆ですね。うーんとネバネバを出して。ぼくが考えたネバネバーダというのがあるんです。納豆にトロロを入れて、あとナメコとオクラ。それと生卵とモズク。

東海林　ネバもの総決起大会ですね（笑）。うん、朝食はまず納豆。それから？

小泉　でもぼくが一番好きな食べ物といったらそれはやはり鯨なんです。死ぬ前に何か一品ていったら、それは鯨の肉ですね。ぼくいま「鯨食文化を守る会」というのの副会長やってるくらいですから。

東海林　エー。話の順序としてですね。小泉さんがお書きになったご本の中で、世界の臭いものにランキングをつけておられますね。この「世界香食博覧会」によると、まず一位がスウェーデンの魚の発酵缶詰シュール・ストレミング。二位がイヌイット（エスキモー）の海鳥をアザラシの死体に詰めて発酵させたキビャック。三位が日本の馴鮓《なれずし》。

……

小泉　そうそう、きょうそれも持ってきたんだ。鮒《ふな》ではなくて鮎《あゆ》のほうですけど。鮎を麹に漬けこんで発酵させたやつ。旨いですよ、これは。

東海林　それから四位はこれまた日本で日本のクサヤ。

小泉　おやじさん。あのね、この鮎の頭んとこ、こう千切ってね、軽く焼いてその上からお湯をかけて持ってきてくれる？

東海林　で、五位がニュージーランドのエピキュアという、これまた缶内発酵させたチーズの缶詰と、こういうことになってますが、まず、第一位のシュール・ストレミングからお話を伺っていきたいと思いますが。

小泉　ぼくはいままで、世界で一番臭いものは？　って訊かれたらシュール・ストレミングだと答えていたんですが、実はもっとすごいのがありました。

東海林　何ですか、それは。

小泉　韓国のフォンフェ。これはすごいです。

東海林　何ですか、それは。

小泉　エイですね。魚のエイ。エイのヒレと尾とエラだけをカメに入れて発酵させるんです。

東海林 ぼくも韓国の魚市場に行ったことがあるんですが、エイは韓国の魚市場の主役なんですね。生や広げて干したものが、市場全体にズラーッと並んでる。

小泉 ここにフォンフェについて書いたものがあります。いいですか、すごいですよ。「フォンとはエイのことで、その両側の鰓《えら》部、鰭《ひれ》部、尾部を採取して皮状のまま、厚手の和紙などで包みカメの中に漬け込んでいく。そして上から重しをかけて空気を抜き、そのまま冷暗所で保管し七日から十日間発酵、熟成させてアンモニア臭を発生させる」

東海林 塩は使わないんですか。

小泉 使わないんです。塩を使わないと、ふつうは腐ってしまうんですがアンモニアで腐らない。

東海林 そうか。サメの系統なのかな、エイは。

小泉 いいですか。食べ方は「五ミリぐらいに切って塩、ゴマ油、コチュジャンなどをつけて食べる」。いいですか、ここからですよ、「口に入れたとたんアンモニア臭は鼻の奥を秒速で通り抜けて脳天に達する。このとき深呼吸すれば、百人中九十八人は気絶。二人は死亡寸前となる」。

東海林 アンモニアで窒息。考えられるなあ。

小泉 これはですね、値段も非常に高いもので、日常食というわけではなく冠婚葬祭のときに出るものなんですね。特に葬式のときなどにうんと涙を出させる。

東海林　催涙ガス代わりですね。

小泉　それとやはり、アンモニア臭を好む、という面もありますね。民族と臭いは非常な落差があって、たとえばアフリカのウガンダの人たちは、日本人の嫌うギンナンの腐った臭い、あれをとても好む。

東海林　アンモニアがたまらん、ギンナンがたまらんっていう人たちがいるわけですね。

小泉　さっきのですね、鮎の鮓《すし》の頭を焼いて熱湯をかけたやつですけどね。ああやってしばらくおいておくとですね、非常に、その、大人の匂《い》い、というか、あっちのほうの匂《い》いがたちのぼってくるといわれてるんですね。

東海林　すると、あの、ナポレオンがジョセフィーヌよ、と言って、今夜はもういい、といった方面のあっちですね。

小泉　そっちの方面です。

東海林　それは楽しみですね。話をこっちの方面に戻しましょう。じゃあ、そのフォンフェの処遇は今後考えるとして、とりあえず一位のシュール・ストレミング。これからいきましょう。

小泉　これは実は、このシュール・ストレミングのお祭りがあって、ストックホルムに行ってきたばかりなんです。この絵ハガキ。これがシュール・ストレミングの缶詰の写真です。

東海林　平らなイワシ缶を二個重ねたぐらいの大きさですけど、上のほうがふくらんでますね。

小泉　そうなんです。内部のガス圧でどの缶もふくらんでるんです。全体の三分の一が倉庫の中で爆発しちゃうといわれてます。

東海林　爆発する缶詰（笑）。

小泉　これはですね、原料はニシンかイワシ。これを三枚におろして、生のまま、缶の中にニシン、玉ネギ、ニシン、玉ネギと重ねていって、ほんの少しの塩と酢を入れてフタしちゃう。そうすると缶の中でどんどん発酵する。だからこれは日本では輸入禁止になってます。日本の食品衛生法では、殺菌してから缶詰にすることになっていますから。

それと爆発の危険ですね。それで輸入できない。

東海林　爆発の規模というのはどのぐらいのものなのでしょうか。

小泉　缶を開けるときの注意が缶詰に書いてあります。まず冷凍庫に入れてガス圧を下げる。それから家の中では絶対に開けないこと。戸外で開けること。缶を開ける人はかならずビニールなどで衣服をおおうこと。それからこれは北欧の人たちのユーモアだと思うんですが、風下に人がいないかどうか確かめろ、とあります。

東海林　風下の人が騒ぎだす（笑）。

小泉　缶を開けると、まずガスがシューッと出てくる。

東海林　ガス缶（笑）。

小泉　ガスが収まったところで食べるわけですが、まだ発酵が進んでいてガスが残っているから舌の先がピリピリする。

東海林　そういえば、塩辛なんかも、少し悪くなってくると舌の先がピリピリしますね。

小泉　中はほとんど崩れて原型はなく、ドロッとしています。塩辛状態ですね。

東海林　味はどうなんですか。

小泉　なにしろ殺菌してませんから、中の空気のないところで乳酸菌とか酵母が発酵して、その代謝系統が猛烈な臭いを作るわけです。まず、玉ネギの腐ったのと魚の腐ったのに少しギンナンが腐ったような臭いが入り混じって鼻を襲います。味は塩辛ですね。塩辛の塩気の薄い味。味よりもむしろ臭いを味わうものですね。
東海林　確かにその臭い塩辛が爆発してあたり一面に飛び散ったらエライことになるな。
小泉　あ、きたきた。
東海林　さっきの〝ナポレオン〟がきた。
小泉　（小皿ごと鼻のところに持っていって）うーん、どうもダメだな。おかしいな、これは。頭だけだったせいかな。一匹全部やればよかったのかな。
東海林　現場の匂いにはほど遠いですか。
小泉　うーん、ぜんぜん違うなあ。これね、このツユ（液）を両手のヒラにこうつけて、こうこすり合わせると、純粋な匂いが出てくるものなんですが……。うーん、やっぱりダメだなあ。
東海林　現場の臨場感が出てこない？
小泉　いや、というより全然ダメ。今回はあきらめましょう。
東海林　今後の研究課題としましょう。で、二位のイヌイットのキビヤック。
小泉　グリーンランドのイヌイットのところで、ぼくはずいぶんこれを食べました。犬ぞりで北極横断の植村直己さんも、このキビャックをよく食べたそうですよ。これはもうものすごい。
東海林　ああ、早く聞きたいな（笑）。

小泉　まずアザラシを一頭殺します。そして内臓や肉を食べますね。そうすると、骨のついた皮が袋状になって残ります。アザラシは二百キロぐらいありますから巨大な袋ですね。ここへアスパリアスという海鳥を七十羽から百羽詰めこみます。

東海林　どのくらいの大きさですか、その海鳥は。

小泉　日本の椋鳥《むくどり》ぐらいです。これを羽根のついたまんま、肉も内臓もそのまんま、捕まえたときのまんま、アザラシの中へ放り込む。

東海林　なんだか目に浮かぶなあ。アザラシのおなかの中もビタビタ。海鳥もビタビタ。

小泉　そして糸で縫う。それを一・五メートルぐらい掘った穴に放り込んで埋めてその上から大きな石をのせる。

東海林　漬けもの石ですね。

小泉　というより、熊とか狐とかに掘り出されないためですね。

小泉　そうやって三年おきます。

東海林　では三年たったものを食べてみましょう（笑）。

小泉　中はもうビシャビシャのドロドロ。鳥の羽根は発酵しませんから、一見、原型を保っていますが、アザラシから出た脂と、わずかに残った肉が発酵したのと、鳥から出た肉と内臓と血が発酵して全体がドロドロのチョコレート色になっています。

東海林　鳥の内部はどうなってます？

小泉　肉も脂も崩れて発酵して塩辛状態です。

東海林　固形物なしですか。

小泉　塩辛状態の固形物ですね。このドロドロをですね、イヌイットの人たちは鳥の肛門に口を当てて吸うわけです。

東海林　ジュルジュルジュル（笑）。

小泉　臭いはクサヤの臭いに近いですね。クサヤといっても漬け汁のほうで、あの漬け汁を更に発酵させて煮つめてどぎつくさせた臭い。でも鳥ですからね、臭いは魚の発酵の比ではない。それと血の味と血の臭い。鳥の血とアザラシの脂の酸化臭。これが一滴でも着ているものにつくと三日はその臭いがとれない。

東海林　頭からかぶったりしたらどうなる（笑）。そのキビャックのドロドロに、新島のクサヤを漬けこんだらどうなるんだろ。

小泉　そこへフォンフェの液とシュール・ストレミングの液を加える（笑）。

東海林　こうなってくると、三位の日本の馴鮓はなんだか急におとなしくなっちゃいますね。

小泉　でも、この鮎の馴鮓はおいしいでしょ。

東海林　鮒の馴鮓より更におとなしくて、更に塩気が薄くて、酸味も少なくて、しかし、これ、お酒に合いますねえ。

小泉　やっぱり順位を下げるべきかなあ。実はですね。日本で臭いものというと、馴鮓とクサヤということになっていますが、臭いを計る機械にかけると実は一番臭うのはタクアンなんです。

東海林　日本人は慣れちゃって気がつかないけど。

小泉　タクアンは、メルカプタンとスルフィドという臭いの元となる成分は少ないけれど、臭いの力は猛烈に強いという物質が含まれているんです。

東海林　そうなってくると、小泉さんの世界ランキングは今後かなりの変動が予想されますね。タクアンの処遇、フォンフェの処遇……。

小泉　でもね、きょうは間に合わなくて持って来られなかったんですけど、サンマの馴鮓の三十年物というのがあるんです。

東海林　三十年物!?

小泉　三十年間、熟成発酵したものは、米もサンマもドロドロに溶けてヨーグルト状になってるんです。味は日本酒の古酒の味ですね。ちょっと酸味のある古酒。

東海林　ヨーグルト状ということになると。

小泉　スプーンですくって食べるんです。

東海林　鮓をスプーンですくって食べる（笑）。でもって、四位がクサヤ。

小泉　新島のマエダテツオのクサヤです。うん、焼き方がうまい。

東海林　これはカチカチのではなく、生干し風の柔かいやつですね。クサヤはこの血合いのとこが旨い。

小泉　肉ばなれがよくて、塩気もあまりないでしょ。

東海林　臭みもそれほどありませんね。

小泉　やっぱり四位にしてはおとなしいかな。

東海林　五位がエピキュア。

小泉　エピキュア、きょう持ってきたんです。ところがこれは本物じゃなくてかなり弱目のやつなんです。こう切って、うん、あんまり臭わないな。

東海林　弱っちゃってる（笑）。

小泉　これもシュール・ストレミングと同じように、発酵工程を缶内で行ったチーズで、本物はティルジッターとかゴルゴンゾーラといった臭いチーズの代表の三倍は臭いといわれているんですが、何しろ本物は国内輸入は禁止なもんで。

東海林　ニュージーランドに行って是非本物を。

小泉　この世界一臭い酒、これいってみましょう。これね、小ビンにこうして分けて、うちの生徒に厳重にラップで何重にも包んでもらってきたんですが。「孔府宴酒」といいます。

東海林　きょうはなんだか目まぐるしいなあ（笑）。

小泉　原料はコーリャンなんですが、コーリャンと特別な麹を血料紙という紙でできた容器に入れて土の中で発酵させるんです。血料紙というのは豚の血と石灰を混ぜたものを、麻の繊維で作った紙に塗ったものなんです。では開けてみましょう。
東海林　あっ、おっ、これ、すばらしくいい匂いじゃないですか。甘酸っぱいような。しかし強烈。うん、これマオタイ酒の匂いじゃないですか。
小泉　アルコールは六十度ぐらいでしょう。
東海林　うーん、匂いだけでうっとりする。あっというまにこの部屋全体がこの匂いで充満してきた。
小泉　つまり、ぼくのいう世界一臭いというのは、この孔府宴酒に限っては悪臭じゃないんです。強烈な匂いということですね。
東海林　じゃ、飲んでみます。あ、甘い。そして丸い。六十度の強さを感じない。最初ツーンとくるけど、アッというまにそのツーンが散っていって、残るのがやはりマオタイの香り。
小泉　香りに品があるでしょ。
東海林　あります。あー、いいなー。これ毎晩飲みたいな。
小泉　いやー、よかったよかった。東海林さんに飲んでもらってよかった。

ヘコキムシの仲間を食う

東海林　しかし小泉さんはどうしてこういうことになっちゃったんですか。こういう臭いものばかりが好きという……。

小泉　原点はですね、ぼく小さいとき、三、四歳ぐらいかな、ミガキニシンばかり食べさせられたんです。そのころぼくは数秒間もじっとしてない子供だったらしいんです。動きまわって柱に頭ぶつけたり、縁側から落っこったり。

東海林　わかります（笑）。

小泉　それで祖母が長い帯でぼくを柱につないでいたんですね、ニシンと味噌を持たせて。そうするとニシンは硬いからしゃぶってる間はおとなしくしてたそうです。ニシンに味噌つけて。当時のミガキニシンはけっこう臭くて渋くて特殊な味だったですからね。味噌もカビなんか生えてる昔の味噌ですし。そのあたりでぼくの味覚が形成されたのではないかと（笑）。

東海林　納得できるなあ（笑）。そういう小泉さんにですね、きょうはぜひご賞味いただきたいと思って、こうして、ここに持ってきたんですが、これ、タガメをナンプラーに漬けこんで匂いをつけた調味料。

小泉　知ってます。タイなんかで料理によく使う。

東海林　ヘクサムシとかカメムシというあの仲間なんでしょ。子供のとき、この虫を手でつかむと泣きたいくらいの臭いが幾日も取れなかった。

小泉　ヘコキムシともいったかなあ。

東海林　これは形も大きさも色も日本のゴキブリそのものですよね。これが何十匹とこうして醬油の中につかってる。

小泉　これこれ、これが旨いんだ。これどうして手に入れました？

東海林　タイでタガメを研究している日本人の知人が、何かの参考にって送ってくれたんです。こうしてビンに入ってるんですが、それでも猛烈に臭くて、何重にもビニールで包んで冷蔵庫の一番奥に入れて、このことは一日も早く忘れよう、このことはなかったことにしよう、と思いながら暮らしてたんですが、きょう小泉さんに会うということでこうして持ってきたんです。

小泉　これ、一匹いいですか。（と、ビンの中から一匹つまみ出していきなり口に入れる）

東海林　臭くないですか。

小泉　臭いところが旨いんです。うん、羽根のほうには臭いはないな。やっぱり本体だな、この臭いは。最初ウッときて、そのあと、なんだろ、うん、洋梨の芯のところの香りかな。

東海林　香りですか（笑）。

タガメ入りナンプラーの
容器の恐ろしいデザイン

小泉　一種のハッカ臭かな。少しスースーする。うん。旨い。タイあたりではこういうふうに歯でしごいて中のエキスを味わうんです。こう。

東海林　口のはしから足が出てますが（笑）。

小泉　それからこれ、刻んでゴハンなんかに混ぜて食べるんですよ。あの、ちょっと、これ刻んできてくれる？　エ？　マナイタがダメになる？

東海林　和食の店ですからねえ（笑）。

小泉　こっちのもう一匹は卵が入ってる。この卵が旨いんだ。この卵をこうしごいて……。

東海林　子持ちタガメですね。

小泉　タイなんかではタガメを生でやる人もいますね。つるつるって生でやって、プップッて羽根を吐き出しながら食べる。

東海林　ああ、そうですか（笑）。

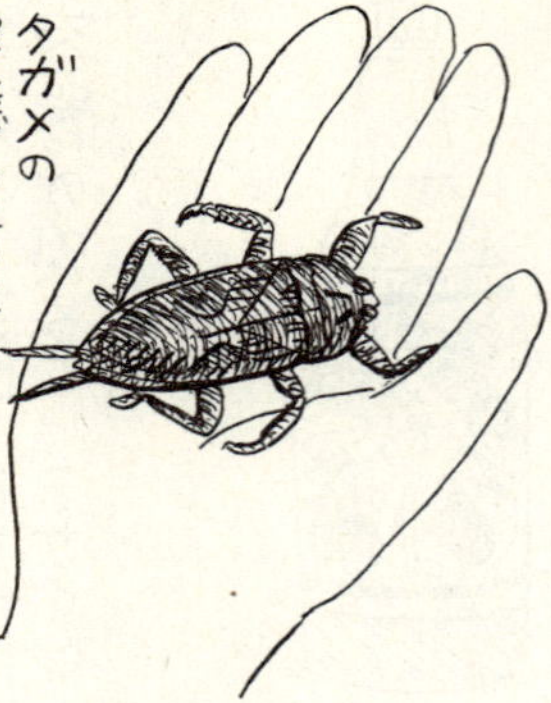

小泉　ヘキシルアルコールの匂いですね、タガメは。
東海林　この匂いは何かに有効なんですか、昆虫の世界では。
小泉　これはもう完全にフェロモンでしょう。仲間意識を確かめ合うとか。あとは天敵に対する警戒信号ですね。臭いから近寄るなよ、という。
東海林　スカンクなんかもそうですよね。
小泉　そうです。
東海林　つまり、大多数の虫や鳥などが嫌う共通の匂いというものがあるということですよね。
小泉　そういうことです。
東海林　その匂いを研究開発したわけですね。タガメもスカンクも。
小泉　やっぱり一代ではなく、何世代にもわたって研究開発したんでしょうね。これさえ発しておけば敵は逃げると。しかし、これとこれは逃げなかった、だからもうひとつこれを追加してみるか、とか。

東海林　そうやって、ついにタガメは突きとめたわけでしょ。この稀有な匂いを。

小泉　そうですね。これでもう大丈夫だと。

東海林　そうしたら、一方に、このタガメの匂いがたまらんというのが出てきて、こうして食べてるわけですよね。

小泉　タガメ君も、これから考えなきゃいけないなあ。

東海林　これから次の匂いを開発して追加しないと。

三十年物のサンマの馴鮓をあとで送っていただいて食べたが、まさにヨーグルトでした。七味とほんの少しの醤油をかけて食べるとお酒が進んでどうにも止まらない。

イチャモン

スリッパ

オイオイ、そこのカップル、ちょっとこっちぃきな。
おまえだよ、おまえ。
なにぃ？　右と左のどっちに用があるんですか？　だと？
オイ、おまえ、いまなんて言った。
右と左のどっちに用があるんですか？　って言ったな。
するとなにか？　おまえら、右と左が決まってるってわけか。
わたしは右足専門です、とか、わたしは左足専用です、とか、決まってんのか。
オイ、決まってんのかと訊いてんだよ。

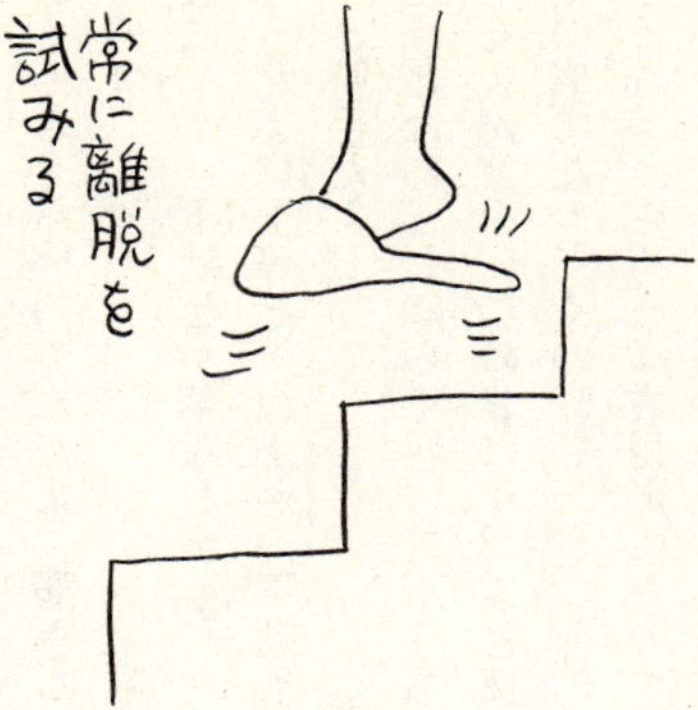

決まってねーだろが。

旅館の玄関にズラーッと並んでるスリッパ見てみろ。

これは右足専用です、とか、これは左足に履かないでください、とか言うか？

みーんなゴチャゴチャに並んでて、みーんなどれでも勝手に足突っこんで履いていくだろが。

オイ、どうなんだよ。

大体ね、履きものってものはだな、どんなものでも右足用、左足用って分かれているものなんだよ。

靴だってサンダルだってみーんな分かれてんの。右と左がはっきりしてんの。

履きものってものはそういうもんなんだよ。右用と決まったら右に専念する。左足用と決まったら左足用に専念する。商売はな、どんな商売でも専念てことが大事なの。

おまえら決まってないから専念できないだろ。

右でも左でもどっちでもいいです、なんて言ってっから、専念できないんだよ、な。

そうだろが。

おまえらぐらいのもんだよ、履きもので右と左どっちに履いてもいいですなんて言ってんのは。

なにぃ？　下駄とか草履とかも、右、左に分かれてません？

そうだよ、上等じゃねーか、下駄も草履も最初は分かれていないよ。どっちをどう履こうと勝手だよ。

だけどなあ、しばらく履いてるうちに、しぜーんと決まってくるもんなの。

しぜーんと、いつのまにか、ふと気がつくと、鼻緒が右なら右用になってくの。左は左用の形になってくの。

こうなったらもう、右足形になってる鼻緒に左足突っこむバカはいるか？

ほうれみろ、下駄だって右と左に分かれるだろうが。草履だって同じことよ。

それなのにだよ、おまえら、いつまでたったって右と左に分かれないんだよ。

何十年履いても分かれないんだよ。

つまりな、おまえらいい加減な商売してんだよ。自分の商売に専念できないような、右でも左でもどっちでもいいですっていうような、そういう商売してんだよ。おまえらのそういういい加減なとこがオレは気に入らないって言ってんのっ。おまえら自分の商売嫌がってるだろ。な、そうだろ？

だってそうだろが。

こっちはせっかく履いてんのに、おまえらスキがあったら落っこちよう、スキがあったら落っこちよう、そんなことばっか考えてるだろ。

だからこっちは、履いてるうちは、落っことすまい、落っことすまいって、そればっかり考えなくちゃならないんだよ。気が気じゃないんだよ。ホントに。

階段降りるときなんか特に苦労してんだよ。垂れさがりやがって。

履きものてものはなあ、それを履いて外に出て行って初めて一人前なんだよ。な、そうだろ。どんな履きものだって外で履けるように作ってあるんだよ。それを履いて、時には走ったりもできるように作ってあるんだよ。それが履きものっていうものなんだよ。

おまえら、外に出てったことあるか？

走ったことあるか？

おまえら履いて走った日にゃころんじゃってころんじゃってちっとも走れねーんだよ。

小説家

オイオイ、小説家さんよ。

そこ行くあんた、名前なんて言ったっけ？

芥川三十六？　そうそう、芥川三十六、オレ度忘れしちゃってさ、オレ、あんたの小説よく読んでんの。ここにも一冊持ってるけどさ。

ちょうどいい機会だからオレぜひあんたに訊きたいんだけど、ここ、ここ。

「池永洋一はそのとき、心の底から夕子を愛していることがわかった」

ね、こう書いてあるでしょ。

オレがあんたに言いたいのはさ、つまりだな、ここんとこをまずはっきりさせておきたいんだけどね、あんたは芥川三十六だよね、そんで、この、エート、なんてったっけ、そうそう池永洋一。

池永洋一とあんたは赤の他人だろ？

ハイ、そうです？　あんた素直じゃないの。

オレ好きだよ、素直な人。

その時計、金？　香港で買った？　いい時計してるじゃないの。エ？　ま、いいけどさ。

人間てものはさ、他人はナニ考えてっかわからない、人の心は読めない、人の頭ん中

までわからん、そういうことで人間の社会って成り立ってんじゃないのかい。

オレの住んでるアパートの隣の部屋に、今中祐二って人が住んでんだけどさ。独身で三十五っくらいかな。サラリーマンなんだけどね、朝、廊下でカオ合わせて、オハヨーゴザイマスぐらいのことは言うけどさ、そんときオレ、今中さんがいま何考えてっか、ぜーんぜんわかんねーよ。また、もしわかったとしたらいちいち大変なことになるよな。廊下ですれちがっただけで大変な騒ぎになる。もし、他人が考えてることが全部わかったら、人間社会は成り立たなくなるんだよ。

そうだろが。ハイ、そうです？　素直でいいよ。とってもいいよ。

つまりこういうことよ。

赤の他人のあんたが、なんで池永洋一の頭

ん中がわかるの?

わかるわけねーだろが。

え? どうしてわかるんだい。わかるはずがねーのに、いけしゃーしゃーと、

「池永洋一はそのとき、心の底から夕子を愛していることがわかった」って、わかるわけがねーだろが。

どうやってわかったんだよ?

オイ、どうしてくれるんだよ。

オレをなめてんのか。

エート、それからここんとこも気になるんだよな。ここ、ここ。

「吉井孝はそのとき、十一時二十一分東京駅発越後湯沢行きの新幹線に乗っていたのであった」

ウソだろ? これ。本当のことじゃねーんだろ。どうなんだい。吉井孝なんてこの世にいねーんだろ。ハイ、いません?

ところがいるんだよ。

吉井孝はオレの舎弟なんだよ。

三日前にムショから出てきたばかりなんだけど、なにかってーとすぐキレるやつでね、ホトホトもてあましてんの。

そいつがね、ホラ、出てきたばっかで仕事もなくてヒマだろ。それでたまたまあんたのこの本読んだんだよ。そしたら自分が出てるってこういうんだよ。オレはこんな人間じゃねーって。なんだかよくわかんないんだけどものすごく怒ってんだよ。

いま、すぐそこの喫茶店にいるんだけどね。

それにしてもその時計、いい時計だねえ。

え？　くれる？

そうかい、あんたものわかりがいーじゃないの。

ティッシュ

ま、いいからそこへおすわりよ。

おすわりてんだよ。

落ちつかないヒトだねえ、あんたも。

いつだって腰がすわらないんだよ。

あっち行ったり、こっち行ったり。

同業のトイレットペーパーさんを見てごらんよ。一か所にじーっとして動かないよ。

居る場所が決まってんだよ。

ここって決まったとこにいつだって居るんだよ。

それにくらべ、おまえさんはどうなってんの。

居る場所が決まってないじゃないか。

居間に居るなーって思ってると、夜になるとフトンのとこに行ったり。フトンのとこに居て、箱から大勢出てったなーって思ってると、こんどはいつのまにかみんなでクズカゴのほうに移動していたり。

箱から出てってクズカゴに行くまでの間、何してたの？

言えません？

そうなんだよ、あんたたちの仕事ってそういう人に言えない仕事なんだよ。

いい商売たあ言えないよ、あんたたちのやってることは。

なんか、コソコソしてさあ。

拭いてばっかり。

しかも、大体、暗いとこが多いでしょ、あんたたちが仕事するとこは。

そいでもって、ジメジメした場所ばっかり。

乾いたとこで仕事できないの？

一度乾いたとこで仕事させてみたいねえ。

なに？　乾いたとこでは仕事にならない？

そういう商売なんだよねえ、あんたたちの商売は。

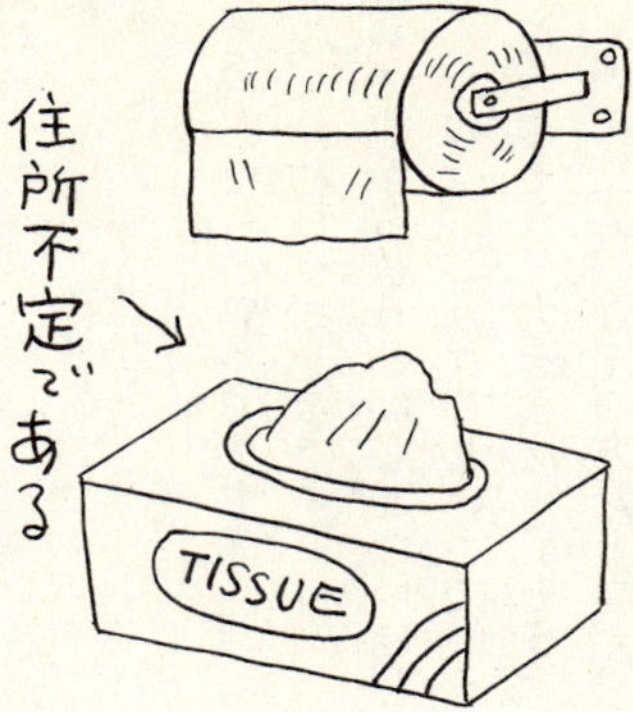

あたしゃ、あんたたちのやってることを思うと、ホント、なんだか暗い気持ちになるねえ。

人間の裏社会の仕事っていうの？

同じ拭く仕事でも、あたしゃトイレットペーパーさんの仕事のほうが好きだね。

やってる仕事がきっぱりしてる。

単純。明快。単一。

一つの仕事以外は絶対にしない。

正業だよね。

一巻《ひとまき》ってのもいいね。ハシからハシまでぜーんぶ同じヒト。同一人物。関係がはっきりしてる。

それにひきかえ、あんたたちはどうなってんの？

あれ、どういう関係？

つながってるような、つながってないような。

出て行くときだって、自力で出て行くような、他力で出て行くような。あれ見てると、嫌がってるのにムリヤリ引っ張り出されているような気がしてならないんだよ。嫌なんだろ、あんたたち。箱から出て行くのが嫌なんだろ。出てって仕事すんのが嫌なんだろ。

大根　ええ、あたしゃ酔ってます。ごらんのとおりまっ赤です。酔ってるから言うわけじゃないけど、あたしゃ、あんたを見てるとイライラしてくんの。あんたには、こうなりたいっていう方針てものがないんだよね。形だってそう。大きさだってそう。なんの考えも、なんの方針もなく、ただタテに伸びてっただけでしょ。それにつれて、横のほうにも少し伸びてっただけでしょ。あんたを見てると、つくづく愚鈍を感じるわ。あんたの考えはいつだって行きあたりばったり。あたしなんかはさあ、ちゃんとあるの、方針が。

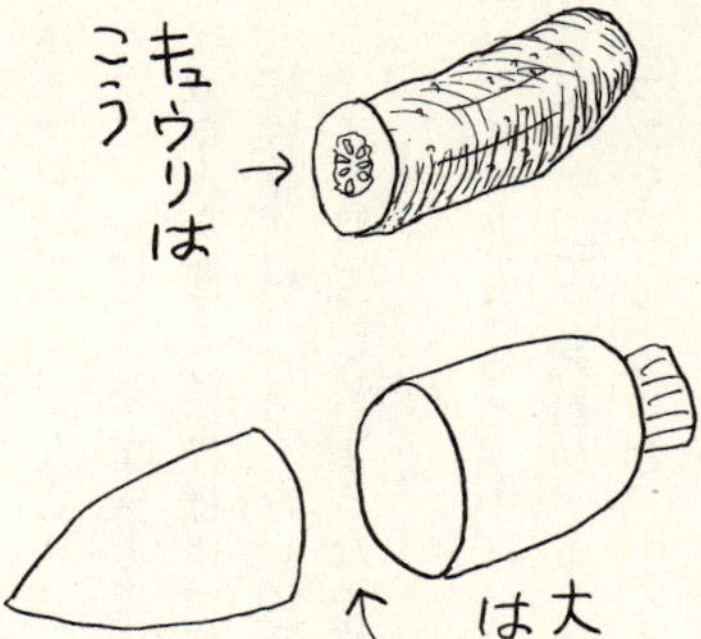

この辺まで伸びたら伸びるのやめよう、このぐらいの太さになったら太るのやめよう、ちゃーんとあるのよ、そういう方針が。

ゴボウだってそうでしょ。

自分たちは細く、ひょろ長くでいこう、色は黒でいこう、そういう方針を持ってちゃんとそうなってるじゃないの。

あんた、色はこういう色でいこって、思ったことある？　ないでしょうが。

大体ね、あんた大き過ぎんの。

だからスーパーでも八百屋でも半分に切ってるでしょうが。

ということは、いまの半分の大きさがちょうどよかったってことなの。わかった？

あたしたちニンジンは、それがわかってたから、ちゃーんとこの大きさにしてるわけなのよ。

困ったヒトだよねえ、ほんとにあんたってヒトは。ほんーとに自己主張ってものがどこにもないのよね。表面だって、なんの工夫のあともなく、ただのツルツル。

なんか細工をほどこしたらどうなのよ。

カボチャを見てごらんなさい。

あんなミゾつけてさ、工夫してるじゃないの。

スイカなんか派手な縞模様よ。無地ってヒトはいないの、野菜界には。

それに性格がはっきりしないのよね、あんたは。

ホラ、よく竹を割ったような性格って言うじゃない。割ってみるとわかるのよね性格が。

キュウリ切ってみると、中にサクサクしたとこがあって、タネがあって、ああ、こうなってたのかってことがわかるじゃない。

レンコンを切ってみると、中にトンネルみたいな穴があって、レンコンてこういうヒトだったんだってことがわかるじゃない。

ピーマンを切ってみると、中には何にもなくて、ピーマンてやっぱりこういうヒトだったんだって納得するじゃないの。

あんたを切ってみると、中から何が出てくるの？　何にも出てこないじゃないの。

表とおんなじものが詰まってるだけじゃないのよ。

ほんーとに工夫のないヒトなのよね、あんたってヒトは。

ノブ

いい商売だと思うよ、あんたの商売。

なんたってラクな仕事だよね。

ほんのちょこっと動けば、もうそれで仕事が済んじゃうんだものね。

あんたたちの業種ってのは、回る商売だよね。ふつう回る仕事ってのは、最低一回転はしなきゃなんないわけだろ。

自転車のペダルとか車輪とかチェーンなんかは回ってばっかりいるよね。

ところがどうだ、あんたの仕事は右側へちょこっと回るとトメガネっていうの？　出っぱってるとこ、そこんとこがカチャッとはずれて、もう仕事はおしまい。

一回転さえしないで仕事はおしまい。

あんた一回転したことある？　ないでしょうが。あれは¼回転ぐらいかしらね。

いい商売じゃないの。

そういう商売って、まずほかにはないね。

しかも一種の居職《いじょく》だろ。

わざわざ出かけてってする仕事じゃない。
ただジーッと待ってればいい。
ジーッと待ってて、ときどき右側へ¼ほど回ってそれでおしまい。
それからあとは、またジーッと待ってる。
ラクなうえにヒマ。
特におたくみたいな、年寄り夫婦だけの家のノブはヒマでしょうがないでしょ。
まあ、居間とか玄関なんかは、それなりに忙しいとは思うけどね。
え？　トイレが忙しい？　年寄りだから。
でも、ホラ、二階の、娘さんが使ってた部屋で、いまは嫁に行っちゃった部屋。
あそこはヒマでしょう。
なにしてんだろね、毎日。
世の中にはあるんだよねえ、いい商売が。
ラクでヒマで、だけど枢要で、こぎれいで、けっこう高給とってる商売が。
あんたもいい商売みつけたもんだって、つくづく思うよ。
家の中の造作でも、クギなんか大変だよ。
一生下積み。
一生、首んとこまで埋まったまま。

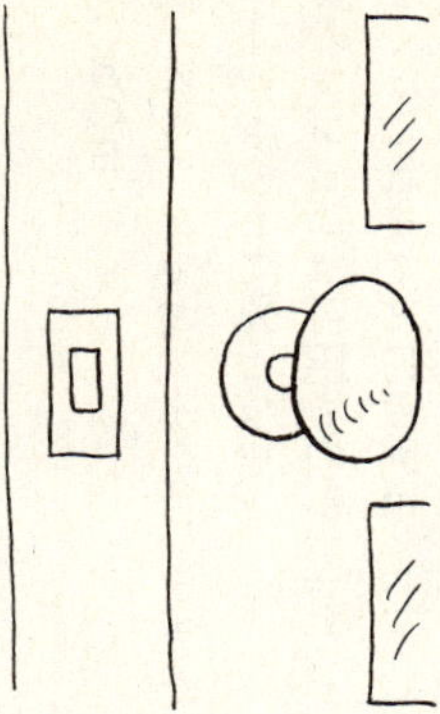

仕事がラクすぎないか

身動き一つできないんだよ。

ま、あれも一種の居職だけど、こっちはラクな仕事じゃないよ。

ジーッと埋まったまま錆びていくんだよ。

大体おたくたちがいるドア関係？　そこにいる連中はラク連中ばかりだね。

ドアだから、クギとか土台とかの連中から比べれば陽の当たる場所だ。

ドアを取りつけてあるチョウツガイだってラクな仕事だ。あいつらも、一回転したことないんじゃないの。

カギなんかもっとラクだよね。

穴ん中へ入ってちょこっと右に回ればいいんだから。あとはまったくヒマ。

あの、ホラ、役人なんかが天下りするナントカ法人とかいうとこ、あそこの連中はドアの連中とおんなじだな。

コンビニ日記

○月○日

夜、ローソンでおでんを買ってきた。

ローソンのおでんは安い。

他のコンビニは百円ものが主流だが、ローソンは全品七十円均一だ。

ぼくはこれまでに何百回コンビニに通ったかしれないが、一度だってコンビニでおでんを買っている人を目撃したことがない。

しかし、コンビニではいつだっておでんが弱々しい湯気をあげている。

このローソンは今年の二月に開店したばかりなのだが、もしかしたらぼくが〝当店おでんお買いあげ第一号〟ということになるのだろうか。

このローソンのおでんは、ときどきセルフサービスになる。

店が混雑して忙しいときにセルフサービスになるというわけでもないらしく、全然ヒマなときでも、「セルフサービスでお取りください」のフダが出ていることがある。

今夜もそのフダが出ていた。

おでん鍋の横に、大小二種類のプラスチック容器と、わりに大きめのお玉が置いてある。

大きいほうの容器は、ドカ弁を更に深く大きくした感じで、深さは五センチぐらいある。

ぼくは大きいほうを取りあげた。

左手に容器、右手にお玉をかまえおでんの鍋の前に立つ。

「エート、まずコンニャクね」

と、コンニャクをお玉で追いつめてすくいあげ、

「とれた、とれた」

と、ポチャンと容器にあける。

まるで金魚すくいだ。

「次は大根いくか」

と、大根を追いつめてすくいあげる。

コンビニのおでんは例外なくレジの横にある。

レジに並んだ人が、オジサンがおでんで金魚すくいをしているのをチラチラ見る。

オジサンは恥ずかしい。

オジサンは巨大容器のほうを選んだにもかかわらず、結局、コンニャクと大根とスジ（スジ肉）とシラタキしか取らなかった。

この容器は恐らく二十品以上取る人のための容器として置かれてあるのだ。

オジサンにはむろん理由がある。

おツユをねらっているのだ。

まずお玉でおツユを一杯。

これは当然の権利である。なんの後指をさされることがあろう。

続いて、急に、おそるおそるという感じになってもう一杯入れた。

世間一般の常識として、おでん一品に対してどのくらいの量のおツユがつくものなのだろうか。

屋台のおでん屋なんかでは、たとえばチクワとコンニャクとサツマ揚げの三品を取ると、お皿にお玉半杯ぐらいのおツユを入れてくれる。

このあたりに、〝おツユの常識〟をさぐる根拠がありそうだ。

しかし、ローソン当局は、そのことに関する見解はいっさい示していない。

コンビニの飲みもののところで
早く取り出して早くしめなくちゃ
と、ついあせって
しまったことって
ありま
せん
か？

おツユに関する表示はどこにもない。

もし巨大容器にチクワを一本だけ入れ、容器のフチまでナミナミ、タプタプにおツユを入れて持ってきた客がいたならばどう対処するつもりなのだろうか。

ただちにセコムに通報、セコムがやってきて、おツユ没収ということになるのだろうか。

オジサンはレジ係を見た。

女子高生のバイトのようだ。

それを見たオジサンはもう半杯、おツユを容器に入れた。

おとなしそうな女子高生だったからだ。

おでん四品はとっくにおツユの中に水没している。明らかに良識の域を超えている。

オジサンはおでん四品、おツユタプタプの容器をレジに差し出した。

女子高生は容器を受けとり、容器の中をし

ばらくの間じっと見つめていた。

オジサンはドキリとした。

「いよいよセコムか」

翌日の日刊ゲンダイに、

「中年男、コンビニで女子高生のバイトをおどし、おでんのツユを大量に持ち去る」

というような記事が出るのだろうか。

だが、女子高生は、ただ単に、容器の中の品数を数えていただけなのであった。

四品で二百八十円、と打ち、消費税八円、と出ると、

「カラシつけますか」

と、何の疑いもないつぶらな瞳をオジサンに向けるのだった。

オジサンはせめてもの罪ほろぼしに、

「いらない」

と応じるのだった。

大量のツユ代から、せめてカラシ代を引いてもらおうと思ったのだ。

オジサンが千円札を出すと、女子高生は、

「千円からおあずかりします」

と言って受けとり、七百十二円のおつりをくれるのだった。

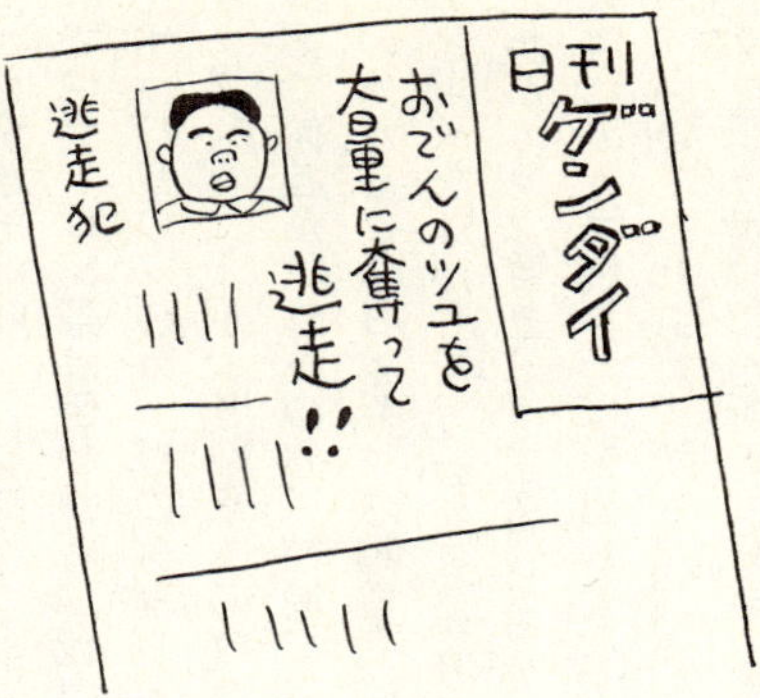

オジサンはおでんの入ったビニール袋をさげ、ローソンの自動でないドアを自力で押し開いて外に出た。

夜道を歩きながら、

「よく考えてみたら、大根とスジはさておき、コンニャクとシラタキの組み合わせはまずかったのではないか。コンニャクもシラタキも結局は同じものだから、むしろ他のものにすべきではなかったろうか」

と反省し、清純な女子高生に大人の醜い面を見せてしまった、と反省し、

「しかし、他のコンビニはすべて自動ドアなのに、ローソンだけはどの店も自動じゃないというのは何か理由があるのだろうか」

と、いろいろ考えることの多い帰途となった。

○月○日

ミニストップでカップ焼きそばとウーロン茶を買ってきた。

カップ焼きそばは、「日清焼きそばUFO」の「これが本流焼きそばソース」というもので、ウーロン茶は伊藤園の「金の烏龍茶」の500㎖ものだ。

まず「UFO」のカップのフィルムをはがす。

カップ麺のフィルムというものはなかなか破れない。

ツメで何回か試みたのち、結局、包丁を持ち出すことになる。

このあたり、全日本カップ麺協会に一考を促したいところだ。

フィルムをはがして、「召しあがりかた」というところを読む。

たかがカップ焼きそば、〝召しあがる〟というほどのものではあるまい。

来客にカップ焼きそばを出して、「どうぞお召しあがりください」って言うか。

ま、いい。とりあえず読もう。

①フタを開け両側六か所のつめをもちあげる。ソース、かやく、ふりかけを取り出す。

かやくを麺の上にあけ熱湯を内側の線まで注ぐ。

ここまでが①なのだ。

このあと③まで続くのだ。

実にもう、カップ焼きそばを召しあがるにはいろんなことをしなければならないのだ。

六か所ものつめを一つ一つツメで持ちあげさせられるのだ。

世の中には〝札所六か所巡り〟なんてものもあって、六か所というのは大変な数ということになっているはずだ。

ま、いい。とにかく六か所ツメで持ちあげよう。

②再びフタをし三分間待って湯切り口（矢印）が完全に見えるまでつめを開けて湯切り口から湯を捨てる。

③ソースをかけてよくまぜ合わせ、ふりかけをかけてできあがり。

読み終えてつくづくうんざりする。

〝湯切り口が完全に見えるまでつめを開けて〟というのは、さっき持ちあげたつめが下がったりしているのはいけないということらしい。

だから一つめ、一つめ、確認しろということらしい。

もう、いいっ。そんなことまでさせるならもうこの焼きそばは食わないっ。

と言いたくなるのを我慢して、一つ一つ言いつけを守る。

電気ポットの湯をジョボジョボと〝内側の線まで〟注いで三分待つ。

「あそこのあの針があそこに行ったらだな」と三分待つ。

この三分というのは実に中途半端で実にやるせない時間だ。

やるせなく、フタの字なんかを読む。原材料名というところを読む。なになに増粘多糖類? なになに炭酸カルシウム? なになに酸化防止剤? そういうのって体によくないんじゃないの。なになに? カッコしてビタミンE? そうか、そんなら大丈夫、などと、よくわからないのに安心したりする。

あそこの針があそこに行ったので、立ちあがって流しに持って行って湯を捨てる。湯を捨て始めて三秒ぐらいたったころ、不意にステンレスの流しがベコッと音をたてる。

深夜なんかだと、このベコッに思わずドキッとなる。

もう何十回も、カップ焼きそばの湯を流しに捨てているのだから、いずれベコッというのはわかっているのに、つい油断しているとドキッとなる。

〝召しあがりかた〟のところに、あんなにこまごまと注意が書いてあるのだから、〝流しに湯を捨てるときベコッと音がするけど決して驚かないように〟という注意書きをつけるべきではないのか。

このあたりも全日本カップ麵協会にお願いしておきたい。

湯を捨てるとき注意することは、フタを両手でようく押さえることだ。

押さえが足りずにズルッと中身が流しにあふれ出て、あわててフタで押さえようとして熱湯が手にかかり、アッチッチッと思わず両手を離して箱ごと流しにぶちまけるということはよくあることだ。

　ぶちまけられた流しの中の湯気をあげる焼きそばを見るのはつくづく悲しい。

　ソースの袋を破ってソースをかけてかきまわす。

　最後にふりかけをかけてひと口すすりこむと、大量に立ちのぼる湯気とソースの酢の匂いで、ケホケホとむせかえるところがカップ焼きそばのダイゴミだ。

　二口、三口と食べたところで伊藤園の「金の烏龍茶」５００㎖の口金を開ける。

　こういう５００㎖もののボトルの口金は、金属のものとプラスチックのものとがある。

　口金をまわすと、チリチリと音がして、やがてプチッという音とともにフタの上の部分と下の部分が切断される。

　このプチッのとき、ほんの少しだが快感のようなものを感じる。

「やった！」と言うほどではないが、「やった！」の百分の一ぐらいの快感はある。

　このプチ感は、プラスチックのフタよりも、金属のフタのほうが秀逸である。

　この「金の烏龍茶」は〝烏龍茶の中でも極品茶とよばれる鉄観音と岩水仙に色種、黄金の名をもつ烏龍茶、黄金桂をブレンドし、黄金の液色と金木犀の花のようなふくよかな香り、味わいを功夫（くんふう）製法で抽出しました〟と、なんだかよくわからないほどものものしいのに、値段はふつうのウーロン茶と同じというところが気に入って愛用している。

少しトゲトゲした味がしておいしい。

くどい味のカップ焼きそばにとてもよく合う。

○月○日

セブンイレブンで「具だくさん弁当」と「生ヤサイサラダ・フレッシュ、ノンオイルドレッシング付き」と「カップしじみ汁・生みそタイプ」を買ってくる。

夕食用だ。

この「具だくさん弁当」は、ほんとに具だくさんで、四百六十円でありながら、①サワラ塩焼き②コロッケ（半分）③卵焼き④チクワ磯辺揚げ⑤鶏唐揚げ⑥レンコン天ぷら⑦キンピラ（キンピラの下に海苔）⑧大根桜漬け⑨ウィンナソーセージ、と、九種類ものおかずが入っている。

レジにこれらの買い物を提出すると、レジのオニイチャンが、

「お弁当はあたためますか」

と訊く。

「ハイ」

と答えるとレジのうしろのレンジに入れて約一分待つことになる。

このときの、一分間待つ態度というものがなかなかにむずかしい。

ほかに客がいない場合は、レジのオニイチャンと二人で待つことになる。

二人とも無言で、ぼくのほうは〝休め〟をしたり〝休め〟の足を取りかえたり、ツメを嚙んだり、なんとなくいたたまれない。

オニイチャンのほうは、ときどきレンジのほうをふり返ったりして、「おそいですね」なんていう素振りをしたりする。

うしろに次の客がいる場合も、これはこれでむずかしい。

うしろの客がOLなどという場合は更にむずかしくなる。

OLは、レジの台の上に展開されたぼくの買い物のすべてを見ている。

「フーン、このオジサンの今夜の夕食はこれなんだ」

と、献立てのすべてがわかってしまう。

とてもくやしい。

「今夜は具だくさん弁当に、野菜サラダにしじみの味噌汁なんだ。野菜サラダなんかつけてるってことは、きっと栄養のバランスなんかも考えてんだ、あれで」

なーにが「あれで」だ、とオジサンはくやしい。

「ノンオイルドレッシング付きを選んだってことは、ダイエットなんかもしてるんだ、あれで」

まずかった、とオジサンは思う。

ほんとはノンオイルでなくてもよかったのだ。たまたまノンオイルだっただけなのだ。

オジサンはますますくやしい。

さらにまずいことは、オジサンの今夜の夕食の費用もすべてわかってしまうことだ。

今夜の夕食の一つ一つの値段が、レジの数

字の表示によって、逐一ＯＬに報告されてしまうのだ。

「具だくさん弁当が四百六十円。野菜サラダ二百円。カップしじみ味噌汁百三十円。消費税込みでたったの八百十四円か。ナーンダ」

なにが「ナーンダ」なんだ、とオジサンはくやしい。

「うちに帰ればね、この具だくさん弁当のたくさんの具で、缶ビールを二本飲むんだかんな。その八百十四円に缶ビール二本分の四百六十円足して千二百七十四円に訂正しておけよ」

と、オジサンは、弁当があたたまるのを待ちながらどうにもくやしい。

弁当をあたためてもらうと、帰りはどうしても早や足になる。

弁当が冷めないうちに戻らなければならない。

「あっため弁当」は弁当のすみずみまであたたまっている。

ここだけはあたたまらないという箇所はない。

お箸もあたたまってしまう。寒い夜などはあたたかい箸がかえってありがたい。

梅干しもあたたまってしまう。

あたたかい梅干し、あたたかいタクアン、あたたかい大根桜漬けは、すでに新しい食文化として受け入れられ始めている。

独身で、コンビニ弁当ばかり食べている青年などは、あたたかい梅干しじゃないとお

いしくないと言うそうだ。

こういう青年が結婚して家庭を持ち、朝食にタクアンが出てくると、

「このタクアンは冷めたい」

と言って怒るという。

コンビニ弁当慣れしたこのオジサンも、

「この大根桜漬け、あったかくておいしい」

と思うようになってきた。

コンビニ弁当には醤油の小袋なども入っているが、

「醤油もあったかくないとおいしくないな」

と思うようになってきた。

悪口とツーハンはやめられない

――ナンシー関さんと語る

東海林　初めての方と会うのって、緊張しますね。（ビールを飲んで）ああ、おいしい。今、来る前にエアロバイクを三十分こいで、汗だくになっちゃった。

ナンシー　それ、通信販売で買ったんですか（笑）。

東海林　残念ながら、違う。でも、通販っていうテーマもいいですね、突然だけど（笑）。僕、シークレットブーツ買ったことがあるんですよ。

ナンシー　えーっ、私、初めてだ、シークレットブーツ買った人に会ったの（笑）。

東海林　今、二足目。八センチ高くなるのと、六センチ高くなるのがあってね。最初八センチ買ったら……。

ナンシー　どうでした？

東海林　きつかった（笑）。駅の階段降りるときが怖い。つんのめっているんだから、すでに。あと和式のトイレ、あれが怖かった(笑)。
ナンシー それ、履いてるってこと、人に言うんですか。
東海林 人見て、言いますよ。
ナンシー ちっともシークレットじゃない(笑)。でも、電車の中で、知らない人に「あれ、履いてる」と思われると恥ずかしいとかは。
東海林 まず、分かんないでしょう。長めのズボンはくと。
ナンシー さすがシークレットブーツですね(笑)。
東海林 ナンシーさんでしたっけ、通販のファンなのは。
ナンシー ファン、てほどじゃないですけど結構、買いますね。シーツが一度に七枚干せる宮本式室内干しとか、抗菌パルトまな板とか。
東海林 具体名が出ますね。
ナンシー 私、商品名が気になるタチなんです(笑)。あと北欧とか、ヨーロッパの病院で使ってるっていう謳い文句に、なんか弱い。だから、枕は六個ぐらい買いましたね。
東海林 枕? それは、気がつかなかった。
ナンシー 通販のカタログ見てると、枕ってすごく色んな種類があるんですよ。ポスチューレとかブリーズ・イージーとか(笑)。
東海林 じゃ、今夜はポスチューレ君、君と寝ようとか。

ナンシー　そう。カタログ見てると、枕と座椅子って、こんなに需要があるのかって思いますね。あと高枝切り鋏(笑)。

東海林　あれ、うち、買いました。

ナンシー　私、高枝切り鋏買った人に会うのも初めてだ(笑)。

東海林　買ってみたいけど、ちょっと踏み込めないってもの、ありますか。

ナンシー　テレビ東京で毎日、夜中に、「テレ・コンワールド」っていう、アメリカの通販番組をやってて、日本でも買えるようにしてるんですよ。そこで、ちょっと買ってみたい。

東海林　どんなものを?

ナンシー　丸いボールになってて、何でもみじん切りにするエコール・キュリネールとか。

東海林　あ、それ、見た。〝みじん切りもの〟ってあるんだよねえ。デパートの実演販売なんか、ほとんどみじん切り。

ナンシー　みじん切りというのは、なんか永遠のテーマみたいですよね、通販の。

東海林　魔力がある。みじん関係はアブナイ(笑)。

ナンシー　ラクにみじん切りというのは、夢なんでしょうね、きっと。

日本で最低の番組は

東海林　ナンシーさん、テレビはずっとつけてるんですか。見なきゃなんないという感じ？

ナンシー　いや、放っておいても見るんですよ、私は（笑）。東海林さんはいかがですか。

東海林　結構見ますよ。野球中継ならプロ野球から、テレビ神奈川の町内野球大会まで。「バッター、酒屋のナントカさん」とか（笑）。あとワイドショー。ナンシーさん、嫌いなキャスターいますか。

ナンシー　渡辺真理に比べたら、どんな人も大丈夫。

東海林　ああ、山本文郎と一緒にやってる。いい子じゃないの。

ナンシー　いいんですよ、東海林さんは好きでも。でも、あの人はね、深いんですよ。

東海林　僕はいい子だと思うけどなあ。

ナンシー　いや、いい子ですよ。だからこそ怖い。何つったらいいのか、ちょっと難しすぎて分からないんですけどね。あの人、今「週刊読売」でエッセイ連載してるんですけど、あれを一度読んでいただくと分かる。ちょっと見たことのないような文章書くんですよ。

東海林　いいじゃない、文章なんかどうだって（笑）。

ナンシー　私ね、あんまり女子アナ興味ないんですけど、考えざるを得ないくらい気になるんです。

東海林　嫌いな番組は？

ナンシー　「世界かれいどすこうぷ」。あれ、現存してる中で、日本で最低の番組ですよ。

東海林　へえ、どういうの？

©ナンシー関

ナンシー　日曜の真夜中にTBSでやってて、世界中のこぼれ話を紹介してる。きっと「CBSドキュメント」で余ったネタですよ、あれ。司会の福島弓子もさることながら、一緒にやってる男のアナウンサー。あの人、テレビに出しちゃいけない（笑）。

東海林　誰だろう。

ナンシー　局アナらしいんですけど、ひどいんですよ。夜中なら何やってもいいと思ってるのか、誰も見てないと思ったら大間違いだぞ（笑）。

東海林　ちゃんと見てるんだぞー（笑）。女の人は何てってたっけ？
ナンシー　福島弓子。福島敦子の妹。
東海林　ああ。お姉さんはどうですか。
ナンシー　お姉さんは、私、あと十歳若かったら、女子プロレスラーになって欲しい（笑）。
東海林　いいねえ。
ナンシー　私、最近、テレビはいいレスラーを探すって視点で見てる（笑）。で、今、一番女子プロに入って欲しいのが瀬戸朝香なんですよ。あの人は絶対いいレスラーになる。
東海林　誰？　誰？　知らない。タレント？
ナンシー　アイドル女優。「きりり」とか、「見た目で選んでいいじゃない」のコダックのコマーシャルに出てる。
東海林　あ、あれいい子じゃないの（笑）。
ナンシー　あの子は女優になんかしておくのはもったいない。レスラーにしたいわぁ。
東海林　どういうとこが？
ナンシー　なんかね、闘ってほしい感じなんですよ（笑）。それじゃ説明になってないか。歴史に残るレスラーになると見込んでるんですけど。

東海林　そうかなあ。だって、体だって、そんなに……。
ナンシー　いや、すんごいいい体してるんですよ。単なるナイスバディと違って、力持ちみたいな体してるんです。体に厚みがあるっていうか。
東海林　CTスキャンで見ると、胴体が丸い。
ナンシー　そう。スタイルはいいんです。手足は長いんですけど、普通、手足が長いと……、観月ありさってご存じですか。
東海林　ええ。
ナンシー　あの子みたいに、ヒョロヒョロって感じで植物的な感じになっちゃうんですけど。
東海林　ああ、ジャイアント馬場もそうですよね、突然だけど（笑）。
ナンシー　馬場はプロレスラー向きじゃないってことですか（笑）。瀬戸朝香の場合は、植物的じゃないんですよって、私、何を熱心に言ってるのか（笑）。
東海林　それって、ほめてるんですか。
ナンシー　うん。プロレスラーにしたいっていうのは、私にとっては最大級のほめ言葉。
東海林　ふーん。よくわからん(笑)。華奢《きゃしゃ》なのはだめなのかな。じゃ岸本加世子なんて……。
ナンシー　アハハハ、やめて。岸本加世子、たまらんな、もう。

東海林　いいじゃない。可愛いじゃない。

ナンシー　岸本加世子みたいな人、私は要らないような気がする。

東海林　芸能界で？　全人類的に？（笑）

ナンシー　それはまずい。芸能界で。

東海林　そうかなあ。どこが悪いの。演技だって結構上手だし。

ナンシー　うーん、どうなんですかね。じっくり岸本加世子の気持ちになって考えてみる。

東海林　じっくり考えてよ（笑）。

ナンシー　東海林さんは子どもの頃、どんな女優さんが好きだったんですか。

東海林　言うとね、みんな笑うから、言わない。

ナンシー　お土産に聞いて帰りたい。

東海林　あのね、中村玉緒（一同爆笑）。ほら、笑うじゃない。

ナンシー　でも、中村玉緒、私、ちょっと前に近くで見たんですけど、美人ですよねえ。

東海林　ねえ。（一同を見渡して）ほらぁ（笑）。

ナンシー　ほんと、驚きましたよ。玉緒、いけるじゃん、と思ったもの。

東海林　そうですよ。（また、一同を見渡して）ほらぁ。

ナンシー　テレビで見ると、まさか美人とは思わないじゃないですか。

東海林　あ、そうお？　テレビで見ても、美人だなあと思うけど。最近ではね、浅田美代子も好き。
ナンシー　玉緒、美代子と言ったら、もう……（絶句）。
東海林　あと、菊池桃子。全然、脈絡ないけど（笑）。
ナンシー　なんか、フワーッとした、しっかりしてない感じが好きなんですね。
東海林　そう。全体がバラケてるっていうか。ナンシーさんは誰が好きでしたか、小さい頃。
ナンシー　一番最初はジュリーが好きだったんですよ、幼稚園の頃。そのあと、郷ひろみ。なんか王道を行ってますね。
東海林　その次が知りたい。
ナンシー　次にフィンガーファイブに行っちゃったんですね。あとはチャーとか。
東海林　ああ、チャーね。やっぱり王道ですね。分かりやすい。全然屈折してないね。
ナンシー　華やかをもって王道とす、みたいな（笑）。
東海林　郷ひろみ、今でも好きですか。
ナンシー　今は全然。
東海林　悪口聞きたい（笑）。
ナンシー　今は嫌いとすら思わない。おかしくてたまんないっていう感じだけ（笑）。

ものすごい稀有な存在というか、変わったポジションにいるなと。

東海林　郷ひろみと三十分話しても、何も出てこないっていう感じがしませんか。

ナンシー　そうですね。でも、聞きたいことは一杯ありますよ。聞いたら怒られるかもしれないっていうことが（笑）。

東海林　たとえば？

ナンシー　まず聞きたいのが、「郷ひろみです」って自己紹介するとき、どういう気持ちですかって（笑）。

東海林　ほんとに好きだったの？（笑）。

ナンシー　いや、郷ひろみ本人がどこまで自分を客観視できてるかって、ほんとに知りたいんですよ。分かってないほうが嬉しいんですけど。

へーちゃんを考える

東海林　（突然）石坂浩二はどうですか。

ナンシー　兵ちゃん（笑）。たしか本名が武藤兵吉《へいきち》。私、兵ちゃんの価値が分からないんです。ものすごくステイタス感があるじゃないですか。皇太子が結婚したとき特別番組で司会したり、「開運！　なんでも鑑定団」でも、鑑定歴何十年っていう古物商の人と一緒に鑑定して、意見言ったりしてるでしょう。で、みんな何の違和感も感じてない。

だけど、そのステイタスの理由を日本人誰も知らないと思うんですよね。

東海林　何でしょうね。

ナンシー　だって、あの人「ありがとう」でしょう。私、ほんとは篠田三郎と変わらない人だと思うんですけどね（笑）。

東海林　芸能界は意外に出身大学が力を持つんですよ。最近だって、京都大学出身の辰巳（琢郎）なんか、何でもないのに突然力持っちゃった。食い物の渡辺文雄が東大とか。みんな一応「ハハア」って頭下げる雰囲気があるんじゃないですかね。兵ちゃんだって、慶応だからじゃない。

ナンシー　兵ちゃん、絵、描いちゃったりもするし。

東海林　そう。しかも、それを売るの。箸にも棒にもかからない絵をね（笑）。値段つけてるの。

ナンシー　兵ちゃんの絵、結構高いんでしょう。

東海林　そう。買う人がいるんだ、また（笑）。

ナンシー　東海林さん、反感をおぼえる男っていますか。

東海林　兵ちゃん（笑）。

ナンシー　そうか、反・兵ちゃん……メモっておこう（笑）。

東海林　人のせいにしようとして（笑）。

ナンシー 兵ちゃん、見てる側がトリックにかかってるような気がしますよ。兵ちゃんの頭のいいとこ見たかって言われると、見てない。あのステイタス感って、ほんとにそうかというのを今一度考えようかなと。

東海林 いや、兵ちゃん自身はね……、庇《かば》うようですが（笑）。

ナンシー あれ、兵ちゃん、嫌いじゃないんですか（笑）。

東海林 いや、兵ちゃんは、そういう上に行くことを意図的にやってきたという感じがしないんだよね、巨泉と違って。

ナンシー アンチ巨泉。メモっておく（笑）。

東海林 そうじゃないけど、あいつ……じゃなくて、あの方は（笑）、意図が感じられるけど、兵ちゃんには感じられないんですね。だから、慶応大学ってレッテルが大きいんじゃないかな。

ナンシー 東海林さん、早稲田ですよね。

東海林 うん。あと、兵ちゃんて妙に髪が多いと思わない？

ナンシー うん。それがなにか（笑）。

東海林 いや、でも、根はいい人なんだよねえ（笑）。

ナンシー 反・兵ちゃん派じゃないのか（笑）。

東海林 何が悪いんだろう、悪いとこないんだけどね、困ったなぁ（笑）。なんか小ずるい感じがするんですよ。そんな感じしない？
ナンシー　うん。でも、もう誰も兵ちゃんをドラマで使おうと思わないですよね。自分のいる位置を間違えちゃってる。
東海林　そうそう。しかも、いい位置を取っちゃったのが癪《しゃく》だというか。癪だっていうのが本音だね。いや、根はいいの。根はいい人なんだけどさぁ。
ナンシー　いい人だったら、いいのか（笑）。
東海林　いや、根がいい人と、いい人って違うんですよ。
ナンシー　あ、違うんですか。
東海林　根がいい人って、ほんとにいい人。ようく話してみたら、「なぁんだ、いい人だったじゃないか」っていう。いい人というのは、やっぱり遠いところでバカに繋がるというか。
ナンシー　で、兵ちゃんは根がいい人なんスか。
東海林　まだ、話し合ったことないから、分かんない（笑）。大橋巨泉だってね、根はいい人なんですよ、ようく話し合ってみると、たぶん（笑）。
ナンシー　うん。だけど普通、巨泉とは話し合いたくないっていうのがミソですよね（笑）。
東海林　ナンシーさん、ちょっと親しくお話しした人なんかだと、悪口が書けない、筆が鈍るってことある？

ナンシー　あ、あるかもしれませんね。

東海林　だから、気をつけないといけないですよ。悪口言われないように、向こうから接近してきたりして、保険かけるつもりで（笑）。

ナンシー　誰だ、それ（笑）。でも、その人にネタとしてのポテンシャルがあるとか、前々から腹に据えかねていたとかだったら、書いちゃいますけど。

東海林　あ、そうなの……。僕、今日、保険かけるつもりで来たのに（笑）。

解説　「さだお発禁」

いとうせいこう

東海林さだおという人の文章は、これまで長らく〝発禁〟に指定されていたのである。それがついに、『ずいぶんなおねだり』をもって禁を解かれることとあいなった。

以上はあくまで個人的な世界上での事実である。実際長い間僕は、東海林さだお本を〝読んではいけない〟危険な書に指定し、いやいや、本どころか各誌に掲載されている文章さえも周到に避けてきたのであった。

読むと自動的に影響を受けてしまうという文章がある。文体はもちろんのこと、知らず知らずのうちに考え方まで似てきてしまう。そういう危険な文章がある。

東海林さだおという人の文章がまさにそれであることはつとに知られている。僕の経験からいうと、こうした危険物質を世の中に放出する人物は小林秀雄、大江健三郎、別役実などで、むろんのこと数が少ない。

高校時代、何を書いても小林秀雄になってしまう自分がいた。ヒデオは余計なことを言わない、ずばずばと斬る。斬るのだがわずかに余韻を作っておく。そういうヒデオ・

スタイルが身にしみてしまうと、大事なことは何ひとつ言っていないのに無理やり断言してみせる癖がつく。

「給食の美というものはない。バナナの色があるだけだ」などと意味不明なことを断言してしまうこともしばしばで、まったくもって危険なことだ。

だが、これらの人々に比しても東海林が特に危ないとされるのは、その文体物質が潜伏するという特徴に原因がある。

すぐには変化が出ない。読んでいきなり東海林文が出ることはむしろ少ないのだ。おそらく、その特性が一見わかりやすく感じられるからであろう。

行替えの頻繁さ、いったん使った比喩の徹底的な横滑り、繰り返しの妙、数や固有名詞の厳密な再現、偏愛する方言の突然的使用……。

そうした東海林味があまりに強烈であるがゆえに、我々読者は即症状という事態におちいらない。例えば、一行目を書いてすぐさま改行してしまったその時点で「あ、風邪かな?」と気づく。いや、風邪ではなくてそれが東海林なのだが、ともかく発症の段階で自覚症状が出るのである。

「どうもダルイ」などといぶかしんでいると、二行目で早くも比喩が出る。

比喩のおかしさをうまく保って、数行目にそれをそのままユルユル繰り返す……。

危なかった。東海林である。今僕は東海林になりかかっていたのである。急に歯切れよく改行したあげく、気づいてみれば〝ダルイ〟などと東海林的カナを使っていたのだ。

恐ろしさはここにある。文の調子があがってきたあたりで、くだんの放出物質が唐突に患者の指をむしばむのだ。

ところが、東海林物質はニクイ。完全に似た文章をけっして書かせないのである。読者の方々もおそらく、「何が東海林だ。お前の文など少しも東海林ではない」と言うであろう。だが、書いている方はわかる。そのむしばまれ方がいかに顕著かに恐怖を覚える。

「給食の美というものはない。バナナの色があるだけだ」とかいうことは書けても、東海林という文は完全な再現が出来ない。だからこそより危険なので、つまり自覚症状はあるまま治す気が起きないという事態が発生する。

トロイの木馬である。

スルスルッと入ってきて潜伏する。

こちらもうすうすは「木馬の野郎だな」と勘づいているから、自分はしっかりしていると思いこんでいる。

書き終える。

それはどこがとはいえないが東海林になっている。

そういう成り行きである。

この〝完全に似た文章をけっして書かせない〟というのは、すごいことである。いや、オマージュのように東海林な文章をものする人はプロの中にも多々存在する。問題はそういった影響された文章が単に東海林になってしまい、けっして〝東海林を経た〟文体にならないことなのだ。

小林秀雄から病気をもらって、その細菌とつきあったあげく自分なりの文章を書けた。そういう話ならよく聞くのである。

ところが、本件の場合、細菌はあくまでも患者の脳みそを〝単に東海林〟な状態にしか持っていかない。略して「タンショー」と呼んでもよかろう。なんなら「タンシオ」と読み変えてもいい。

短小にせよ、タン塩にせよ、それは薄っぺらいことを本質とする。本家を超えさせない味の深み。そういうラーメン界の熾烈な争いみたいなことが起こる。もちろん、こちら東海林ケースでは争いようもないのである。いったん物質を吸い込んでしまえば必ず、薄っぺらい真似事に過ぎない文章をつづってしまうのだ。スープの味は確実に落ちるのである。

こういうわけで、僕はこれまで東海林さだおという人の文を必死に避けてきたのであった。避けるということは負けていることの確認だから悔しい。その悔しさのあまり、勝手に〝発禁〟という表現を使っていたわけだ。

発禁なら読むことが出来ない。それは僕以外の人間が決めたことだから仕方ないのである。そう思いこむようにして、「あ、東海林発見！」と思えばすかさず週刊誌のページを飛ばし、一気にトノスなどの広告へと目を落とす毎日なのであった。

ところが、東海林さんが選考委員を務めるとある文芸賞で、僕は御大から身に余る御支持を受けてしまったのだった。その上、担当編集者から解説を書くように言われる。おまけに普通はけっして行かないが自分が受賞したので行かざるを得ないパーティーの席上、僕は木馬の、いや、東海林さんの横に座る栄誉を得たのである。

これはもう腹をくくるしかないな、と思った。本当のことを言うと、今までも実はこわごわと飛ばし飛ばしに読んではいたのである。発禁のお達しに逆らって、しかしなるべく意識に定着させないようなやり方で、僕は東海林さんの文章を味わってしまっていたのだ。そうでなくては、木馬の恐ろしさをここまであれやこれやと書けるわけもない。

で、読んでみた。腹をくくるということは、発病やむなしと思って丹念に読むことである。薄いスープの作り手になろうとも悔いなし、と唇を噛みつつ本家の味を覚えることである。カルビをあきらめてタン塩オンリーで焼き肉屋を過ごす、そういうさっぱりした習慣を受け入れることである。

やはり凄かった。

〝こわごわと飛ばし飛ばし〟にしていただけではわからない守備範囲の広さがあった。

なんだ、「なんとなくクラシテル」って？　田中康夫の具体例頻出文をこういう風に崩して面白がっている東海林さんとはなんなのだ？　ケータイについて事細かに語りながら、一方でゲイバーに潜入したりしているこの分裂的なあり方はどうなのだ？　対談でも文体が変わらず、だが文章のときより小ツッコミの可愛らしさが増す人柄とはいったいなんなんだ？

これはありがたい機会だったのだと思う。広大な東海林世界をかいま見たおかげで、僕はある種神経症的に影響をおそれていた状態を脱し、これほど範囲が広い以上はどう似ようが仕方がないとあきらめることが出来たのである。

ありとあらゆるものが書ける。その中で確固たる味を損なわずにいられる。そういう東海林さだおという人をあとは追っていけばいいのだ。禁を解いた以上、何もおそれることはない。

……と思わせておいて、発病を早める木馬である可能性も捨てきれない。危ない、危ない。どうしたって東海林文は危ない。

やはり、僕はこれまで通り東海林さんを個人発禁のままにしておこうと思う。とにもかくにも自分の書き方が確立するまでは、やっぱりこれは危ない本なのだ。読んではいけないと思わせる力がジンジンみなぎっているのだ。

こうして新たな警戒態勢に入りつつ、しかし僕は以後も東海林さだおという人の文章をこわごわとのぞき続けるのだろうと思う。

ガンガン読んでも似ないでいること。

そんな夢のような状況こそが、僕にとっては「ずいぶんなおねだり」なのである。

（作　家）

初出
悪口とツーハンはやめられない……『週刊文春』一九九五年八月十七日号（構成・柴口育子）
他は、すべて『オール讀物』連載の「男の分別学」を改題し、一九九二年九月号〜九七年一月号掲載分より選びました。

単行本　文藝春秋
一九九七年三月二十日刊

文春文庫

ずいぶんなおねだり

定価はカバーに
表示してあります

2000年3月10日　第1刷

著　者　東海林《しょうじ》さだお
発行者　白川浩司
発行所　株式会社 文藝春秋
東京都千代田区紀尾井町3―23　〒102-8008
TEL 03・3265・1211

落丁、乱丁本は、お手数ですが小社営業部宛お送り下さい。送料小社負担でお取替致します。

印刷・凸版印刷　製本・加藤製本

Printed in Japan
ISBN4-16-717743-9